# 今夜は眠れない

宮部みゆき

角川文庫 12467

JN285680

# 目次

大人になったら、小さな男の子になりたい

——ジョセフ・ヘラー

# キックオフ

情けは人のためならず――昔の人は、そう言った。それについて、僕らの担任の先生は、こう教えてくれた。

「この諺《ことわざ》の意味は、『余計な情けをかけると、それがかえってその人のためにならないことがある。ときには冷たくつっぱなすことも、社会のなかでは必要だ』ということです」

ところが三日後、教頭先生がわざわざやってきて、こう訂正した。

「あの諺の本当の意味は、『困っている人に情けをかけて助けてあげれば、自分が困っているときには、誰かが助けてくれる。世の中は、そのような助けあいの精神で成り立っているのだから、情けは他人のためにかけるのではなく、自分のためにかけるのだと思って、どんどん人助けをなさい』ということです。よろしいか?」

僕個人としては、どっちの解釈でもかまわなかったし、クラスメートたちも同じ立場のようだったけれど、先生たちにとっては、これは大問題であったようだ。なぜなら、それから二週間ほどして、僕らの担任の先生が、学校を辞めてしまったのだから。

先生が消えたあと、僕たちのクラス内では三日間ほど冷戦状態が続き、密告者が囁《ささや》き、スパイが放課後の体育館の裏でレポを書き、その結果、男子生徒が二人、ズボンを脱がされて校庭の池に放りこまれるという事件が発生した。

今度も教頭先生がやってきたけれど、僕たちは誰一人、口を割らなかった。しゃべれば、今度は自分がパンツまで脱がされて池に放りこまれる羽目になるとわかっているからだ。むろん、僕もしゃべらなかった。一学年のアレン・ダレスを親友に持っている以上、キム・フィルビーにはなりたくない。結果的には、彼はいい目を見なかったものね。

(僕は、ここんとこちょっと、CIAの内幕ものってヤツに凝ってるのだ。母さんに、「さあ、海外旅行に行くならあんたはどこがいい?」と訊《き》かれたとき、「バージニア州ラングレー」と答えたのも、そのせいだった。バージニア州とカリフォルニア州の位置関係がわからない母さんは、僕が本場のビーチバレーを見たがっているのだと解釈してた)

池に放りこまれた二人の罪状は、諺に関する担任の先生の解釈を、「曲解だ!」と、親に、ひいては教頭先生に告げ口した——というものだ。もっとも、僕らの担任の先生は、教科書に書いてあることをズケズケ批判したり、テストをせずにレポートだけで成績を付けたりするので、以前から、学校の上層部と対立していた人だったから、熟れた果実が落ちるように、今度の退職も、ただ単に「その時が訪れた」というだけのものだったのかもしれないけれど、子供にはそんな理屈は通じない。いや、通じないふりをしてる。だって、誰かを池に放りこむのはホントに面白いんだもの。
さて、この事件そのものは、これから僕が話そうとすることと、直接関わりがあるわけじゃない。ただ、あとになって振り返ってみると、あれは僕に、「情けはいったい誰のためになるものか？」ということを深く考えさせてくれる出来事だった——と思ったので、ちょっぴり前ふりをしてみたんだ。

「情けなんてものは、この世にはないのさ」

僕の親友、一学年のアレン・ダレスである島崎俊彦《しまざきとしひこ》は、銀ぶち眼鏡を光らせながら、そんな台詞《せりふ》を吐く。彼みたいな子供を持っていると、親はときどき——本当にときどき——そう思うかもしれない。腕のいい床屋さんである彼の親父さんは、島崎が正月の書き初めで「権謀術数」と書いたとき、彼の衿首《えりくび》をつかんで押入れに放りこんだそうだから。

でも、僕の意見はちょっと違う。これから話そうとしている出来事のなかで、僕はたしかにこの世の情けというものに触れたし、自分でそれを振ってもみた。

そう、振ったんだ。なぜなら、僕が出会った情けというヤツは、さいころの形をしていて、振ってみないことには、どの目が出るかわからなかったから。だから僕はさいころを振り、そして賭《か》けた。

これはその、博打《ばくち》の顚末《てんまつ》のお話。

# 前半戦

## 1

まず、最初に僕たちの家を訪れた、一人の男のことから話を始めよう。最初に引いた、特大のスペードのエースの話から。

その男は、福の神にしては人相が悪かった。宝船に乗ってもいなかった。彼がやって来たのは七月の六日、まだ梅雨《つゆ》もあけない、どんより曇った土曜日の午後のことだった。これも、福の神にふさわしい時節じゃない。

彼はまた、特徴のある赤ら顔をしてはいたけど、(実は、まるっきりの下戸《げこ》だったので)酒の神でもなかった。でも、貧乏神にしては身形《みなり》がよすぎたし、おまけにでっぷり太ってもいた。

ほかの何ものでもない、その男《ひと》は弁護士だった。

「はあ……前川法律事務所ですか」

リビングのテーブルの上に載せられた名刺を、母さんは妙に真面目《まじめ》な顔でながめていた。無水なべや羽毛布団を売り付けにくるセールスマン以外の人間が、母さんにちゃんと名刺を差し出して挨拶《あいさつ》をするなんて、ずいぶん久しぶりのことだと考えているみたいだった。昔はそうじゃなかったんだけどな——と考えてもいるようだった。母さん、昔は秘書をしてたそうだから。

母さんと父さんは結婚十五年目。二人の結婚式の記念写真を取り出すためには、先に、衣装ケースをふたつと、使われていないけれど捨てることもできない扇風機をひとつ、押入れから出さなければならない。しかるのちに、奥の壁におっつけられている押入れタンスのいちばん上の引き出しを開け、埃《ほこり》とナフタリンの匂《にお》いに目をしばしばさせながら、僕の赤ん坊のころの写真を集めたアルバムをどけて、やっと結婚写真に手が届く。

それまでのところ、僕の知っているかぎりでは、母さんがそんな手間のかかることをして写真をながめたという気配はなかった。それが良いことなのか悪いことなのかは、ちょっと判断を保留にしておくけれど。

「それで、前川先生はわたしに御用があっていらしたわけですね？」

「さようでございます。あなたが緒方聡子《おがたさとこ》さんに間違いがないのなら」

「それは、間違いありませんわ」母さんは真面目な顔で答えた。

「しかし、ご主人にもご同席願いたいと、お電話で申し上げておいたはずですが」

では、母さん、この弁護士さんがやって来ることを、事前に報《しら》されていたのか。これはちょっと、意外だった。それなら、どうして僕に話しておいてくれなかったのだろう。ましてや、父さんに。父さんは、一時間ほど前に、河川敷のゴルフ練習場にクラブを持って出かけていった。母さんは、それを止めようともしなかった。

弁護士さんの問いに、母さんは笑顔で答えた。「いえ、わたしが昔、勤めていた当時のことならば、うちの主人にはわからない話ですし――」

「すると、ご主人はお出かけなのですか？」前川先生は察し良く言って、困った顔をした。「ぜひ、ご同席願いたいのです。できましたら、お子さんにも……」

ここで、老眼鏡（たぶんそうだと思う）をかけなおし、手元の書類をペラペラとめくった。

「お子さんは、現在中学一年生の雅男《まさお》くんのお一人でしたな？」

母さんは驚いたようだ。「そんなこと、お調べになってるんですか？」

先生はうなずいた。「はい。当然です」

「だって……どうしてそんな……」

「ですから、電話で申し上げましたでしょう。奥さんだけでなく、ご家族全員にかかわってくる大切な用件だと」

母さんは困ってしまったようで、ひとさし指で鼻の頭をかいている。

「ですけど、わからないんですよ。電話では、わたしの独身時代の出来事に関係のある話だとおっしゃってましたでしょ？　だったら、主人や子供には関係ないと思って」

弁護士さんは眼鏡をはずし、ぽっちゃりした手を組んで膝《ひざ》の上に乗せると、丸い顎《あご》をひきしめて、母さんの方へ身を乗り出した。

「電話では、それ以上のことを申し上げられなかったのですよ。いきなり全てお話ししても、とうてい信じていただけなかったでしょうから。悪戯《いたずら》だと思って切られてしまっては、私が困りますからな」

「悪戯だと思ってしまうようなお話なんですか？」

「まことに」

「いったい何かしら？」

「奥さん」前川先生はため息をついた。「どうぞ、ご主人をお呼びになってください。もし遠くにいらしているのなら、私は後日、日を改めて出なおしてまいりますよ。それほどの用件なのです」

その真面目な言葉を聞いて、ようやく、母さんは本気になってきたようだった。大勢の新聞勧誘員を撃退することで培われてきたおトボケ顔が、ちょっとうしろへ引っ込んだ。

「雅男！　まあちゃん！」

そっくりかえるように振り向いて、肩ごしに僕を呼んだ。

「台所にいるんでしょ？　聞こえてる？　まあちゃん！」

お察しのとおり、僕は台所にいた。今日は久しぶりにサッカー部の練習がない日曜日だったので、うんと寝坊して、遅い朝ご飯を食べているところで、ただし、テーブルにはついていなかった。片手にトースト、片手にトマトジュースの入ったグラスを持って、リビングに通じるドアにはりつき、隙間《すきま》からのぞいていたのだ。

僕はそっとテーブルに引き返し、トーストを置き、ジュースを一口飲んで、今の今まで食事に夢中だったという顔をつくって、あらためてドアのそばへ戻った。

「なにさ？」

顔を出すと、まともに前川先生と目があってしまった。とたんに、見抜かれた、という感じがした。この先生、僕が聞き耳をたてていたことを、ちゃんと知っている。

「あんた、悪いんだけど、お父さんを呼んできてくれないかしら。ワンショット・クラブに行ってると思うのよ」

「うん」と、僕はうなずいた。「さっき出かけるのを見かけたよ」

「悪いわね、行ってきて。ね？　自転車ならすぐでしょ」

「なんて言えばいいのさ？」

すると、弁護士さんが無言のままにっこりした。（聞いてたくせに）という顔で。

「大切なお話があるって。お客さまがみえてるからって」

このとき初めて、僕は気づいた。母さんの明るい表情のうしろ側に、何やら険悪なものがあることを。目尻《めじり》がひきつっているのだ。

それはかなりどきりとする眺めだった。母さんのお父さん、つまり僕のおじいちゃんが、肝臓癌《かんぞうがん》でもう長くないと診断されたとき、母さんはあんな顔をして帰ってきたっけ。去年父さんが会社の健康診断にひっかかり、精密検査を受けなおすように勧められたときも、あんな目をしていたっけ。初期の胃潰瘍《いかいよう》だし、薬で治せるとわかるまで、たびたびあんな顔をしていたっけ。

にわかに、試合中、審判からイエローカードを示されたときのような気分になってきた（といっても、僕はまだ紅白戦しか出たことないけど）。警告。注意せよ！

「行ってくるよ」と、僕は言った。

河川敷のゴルフ練習場「ワンショット・クラブ」は、いつ行っても混んでいる。大きなネットに囲まれた、二階建ての打ちっぱなしの打席が八十席。それと背中合わせにつくられている練習用バンカーが二個。うちからは、自転車で二十分ぐらいの距離だ。

特徴のあるグリーンのネットは、遠くからでも見える。それほど高く、大きなネットなんだ。ジャンボ尾崎が来るわけじゃあるまいし、明らかに過剰設備なのだけれど、父さんに言わせると、あのネットは宣伝活動を兼ねているのだから、かまわないんだそうだ。

クラブハウスのフロントで、きれいなお姉さんに呼び出しを頼むと、

「坊や、行って探してきていいわよ」という、そっけない対応。僕はロビーを横切って打席へ向かった。そして、一階の十五番の打席で、父さんを見つけた。

父さん、にわかコーチになっていた。

父さんに背中から抱きかかえられ、いっしょにクラブを握っているのは、ピンク色のゴルフウエアを身につけて、長い髪をサラサラと肩からこぼしている女の人だった。当然、若い女性であることは言うまでもない。僕が近ごろ見るようになった、あんまり人には話せない夢のなかに登場してもらいたくなるような、ぼっちり中身のつまった身体を持っている。

僕は回れ右してフロントへ戻った。きれいなお姉さんは、ロビーにたむろする空き待ちのお客さんたちを尻目に、悠々と爪《つめ》をみがいていた。

「すみません。やっぱり呼び出してほしいんですけど」

「あら。見つからなかった?」

「親のうろたえるさまを見たくないんだ。僕、まだ子供だから」

「うちの父なんか、あたしが生まれたときからうろたえっぱなしよ。だって——」

そう言いながら、お姉さんはハンドマイクを手に取った。早口で二度、

「緒方行雄《ゆきお》さま、緒方行雄さま、フロントまでお越しください」と呼び出すと、

「赤ん坊が生まれるようなことをした覚えがなかったんですって」と、しめくくった。

「夢遊病だったの？」

「いいえ。あたしの母はマリアさまなのよ」

そこへ、父さんがやってきた。まだ片手に手袋をはめたままだ。すぐに僕の顔を見つけた。気のせいか、少しあわてているように見える。

「なんだ、雅男か。どうしたんだい？」

「うちに弁護士さんが来てるよ」

ときとして、単純な事実ほど雄弁なものはない（学校の授業で聞いた言葉だ。出典がどこかは忘れたけど）。高級レストランの床を這《は》う油虫を見つけたとき、一瞬にして会話が途切れる。それと同じくらい素早く、父さんの顔から表情が消えた。

「なんだって？」

「わかんないよ。ただ、母さんがすぐ帰ってきてくださいって。大切なお話があるからってさ」

もう一度、「なんだって？」と繰り返してから、やっと父さんは正気に返った。

「ちょっと待ってろよ。父さん、すぐ戻ってくるから。な？」

そして、打席の方へと急ぎ足で消えた。

あの狼狽《ろうばい》の度合いには、ただならないものがあった。父さんと、コーチを受けていたあの女の人が、今日たまたまお隣同士になっただけじゃなく、いつもお隣同士になるように示しあわせてここにやって来ている——ということの可能性を、僕は慎重に考えた。

そして、その件と、家に弁護士がいるという事実との関連性を。

フロントのきれいなお姉さんを見上げた。彼女はカウンターに肘《ひじ》をつき、手の甲を上に向けて、手入れの済んだ爪を乾かしている。

彼女は、(全部聞いてた)という顔をしている。

「うちに弁護士さんが来てるなんて、すごいでしょ」僕は言ってみた。「何事だろうって感じ、しない?」

フロントのお姉さんは、「そうね」と言った。

「ねえ、ある人とある人が、いつも隣同士の打席に入れるように、予約をするとか、そんなことはできますか?」

彼女はすぐに「いいえ」と答えた。「できないわね」

「そう」

「だけど、一緒に来れば、必ず隣同士の打席に入れるわよ」そう言って、お姉さんは右手の爪から見えない埃《ほこり》を吹き飛ばした。「ロビーで待ち合わせして、一緒に受付にやってきても、同じことね」

「そう」僕はうなずき、もういっぺん、彼女をじっと見た。よく見ると、僕よりいくつも年上ではない。同じティーンエイジャーで、ハイとロウの違いがあるだけ。でも彼女は、ここに座っていることで、うちの母さんよりもいろいろなことを見聞きしているようにも見えた。

「ピンク色のゴルフウエアを着てる女の人なんだけど」

僕が言うと、今度は彼女が「そう」とうなずいた。

「あの人なら、あたしは最初から、坊やのパパの友達だろうと思ってたわ」

「いっしょに来るの、何回目？」

僕が尋ねると、お姉さんは黙って片手をあげた。白くて細い、指が五本。

「いっしょに帰るの、何回目？」

お姉さんはちょっと笑った。「それは坊やの方がよく知ってるんじゃない？」

僕は考えた。父さんが、出かけたきり、夜まで帰ってこなかった日曜日——

誰よりも、それをいちばんよく知っているのは母さんだ。

「僕にエールを送ってくれる？」

フロントのお姉さんは、頬杖《ほおづえ》をついて乗り出すと、小さな声で、こう言った。

「じっと我慢して、勉強なさい。学校を出たら、寮のある大きな会社に入りなさい。そしたら、親の離婚なんて、坊やの生活には関係ないわ」

「ありがとう」

僕がその教訓を噛《か》みしめていると、父さんが戻ってきた。

## 2

車のトランクに自転車を積み、父さんと肩を並べてうちへ帰ってみると、中古マンションの二階にある我が家のドアの周囲に暗雲がたちこめていた。平和な家庭にかかる運命の黒雲。学校で教わる慣用句に真実を見いだし、僕は思わず棒立ちになってしまった。

父さんがうなった。「なんだ、こりゃ」

してみると、父さんにもこの暗雲が見えるのだ。レトリックではなく。

玄関に駆け込むと、顔をしかめた母さんが、さかんに咳《せき》をしながら、台所の窓を開け放ち、両手で煙を外へ追い出すような仕草をしているところだった。僕の顔を見ると、いきなり怒った。

「雅男！　あんたったら、ミルク鍋《なべ》をガスにかけっぱなしにして行ったでしょ！」

なんだ、そういうことか。すっかり忘れてた。僕は、夏のいちばん暑いときでも、冷たいミルクを飲むとお腹が超特急になってしまうので、いつもちゃんと温めてから飲むようにしているのだった。

「だって、母さんが怖い顔して、早く父さんを呼びに行けって言うんだもん」

するとまた、父さんがぎくりと強ばった。

「まあ、火事にならなくてよかった」

　僕たちがリビングに落ち着くと、額の汗をふきながら、前川先生はそう言った。内心では、とんでもない一家とかかわってしまったと思っていることだろう。

「それでですな——」

　コホンと咳払いをひとつ、前川先生が話し始めようとしたところを、母さんがさえぎった。この瞬間を待ってましたという感じだった。

「先生、ひと言申し上げておきたいんですが……」

「は？　なんでしょう？」

「主人とは、どういう契約をしておられるんですか？」

「契約？」

「ええ、そうです。主人に頼まれて、離婚話を切りだすために、こうしておいでになったんでしょ？　わたしの独身時代に関係のある大切な話だなんて、デタラメはもう言わないでくださいな。わかっておりますから」

　前川先生は、細い目を大きく開けた。「奥さん、それはどういう——」

　母さんはムキになっていた。「トボケないでください。離婚話をしにきたんでしょ？でも、最初から正直にそう言うと、わたしが相手にならないと思って、気をもたせるような作り話をしてたんでしょ？　でも、もうこうして家族が全員そろいましたからね、かまいませんわよホントのこと話しても。さ、おっしゃって！」

今度は父さんが泡を食った。「おい、聡子、おまえ何言ってるんだよ」

母さんは番犬が泥棒に食いつくような勢いで父さんに向き直った。「あなたまでそんなおトボケを言うつもり？　なによ、こんな卑怯《ひきょう》な手をつかって弁護士なんかよこして！　あなたね、あたしがあなたとあの女のことを知らないとでも思って——」

父さんは身を乗り出して母さんを制した。すごい顔つきで僕をちらりと見ると、

「バカなことを言い出すんじゃない！　雅男の目の前だぞ！」

「いいじゃないの！　ほかの誰より雅男に関係のあることなんですよ！」

そう喚《わめ》くなり、母さんは泣きだした。茫然《ぼうぜん》とする父さんと、クッションに頭を埋めている母さんを見比べながら、僕は言ってみた。

「僕のことならだいじょうぶだよ」

父さんが僕を振り向き、前川先生が、まだ目を見張りながら、僕の方へ顔を向けた。

「大丈夫って、何がだ？」

僕は父さんに身を寄せて、ささやいた。「ピンク色のゴルフウエア」

父さんの、髭剃《ひげそり》あとの青々とした顎《あご》が、がくんと下がった。「おまえ……」

僕は前川先生に言った。「弁護士さん、僕は、今の今まで、母さんの方が父さんに離婚話を切りだすために、先生を頼んだのだと思ってました。ただ、僕にショックを与えない

ために、最初のうちは、違う用件で来たようなことを言ってるんだ、って。そうじゃないんですか？」

父さんがあわあわとつぶやく。「オレも――実を言うと――そう思ってた」

母さんが頭をあげ、「なんですって？」と涙声を出す。

三人の注目を浴びた前川先生は、無言のままゆっくりと右手をあげて、眉毛《まゆげ》をさすった。あまりに驚いて目をうんと見開いたので、両方の眉毛がはえぎわの方へずれてしまったのではないかと心配しているみたいだった。

白髪《しらが》混じりの眉毛がちゃんとそこにあることを確かめると、弁護士さんはやっと手をおろし、もう一度咳払いをしてから、こう言った。

「私は、奥さんに頼まれたわけでも、ご主人と契約しているわけでもありません」

そして正確を期すために、「君にも雇われていないね」と、僕に向かって念を押した。

僕も雇った覚えはないから、うなずいた。

「私はですな、皆さん」前川先生は言った。

「澤村直晃《さわむらなおあき》氏の依頼を受けてやって参りましたのです」

「サワムラナオアキ？」

僕たち三人、異口同音に繰り返した。あとになって考えてみると、その名を聞いたときの驚き方には違いがあったと思えるけれど、そのときは、異口同音に聞こえた。

職業柄というべきか、前川先生は、こうして自分のペースをつかんでしまうと、悠々とした態度になった。にこりと笑って、母さんに言った。

「奥さんは、覚えておいでではないですか？　澤村氏のことを」

母さんは、ほっぺたに涙の筋をつけたままぽかんとしている。

「とりあえず、簡単に説明しますとな」

早合点しやすい僕たちのために、前川先生はそう前置きした。

「澤村直晃氏は、今から二十年前、あることで奥さんに助けられたことのある人物なのです。そして、氏はそのことを、ずっと感謝しておられた。亡くなられる直前まで、ちゃんと覚えておられたのです」

ふと見ると、母さんが両手を口元にあてている。

「思い出したのか？」と父さんが尋ねると、一度父さんの目を見つめてから、

「ええ」と答えた。「あのかた、亡くなったんですか？」

「はい、亡くなりました。今年の四月十六日に。肺癌でしてね。健康には気をつけておられたかたで、煙草もたしなまれませんでしたのに、皮肉なものです」

母さんは、もう自分だけの世界にはまってしまったような表情で、空を見つめてつぶやいた。「だけど……まだそれほどのお年じゃなかったでしょうに……」

「五十五歳でした。まことに惜しいことでした」

しばらくのあいだ、つつしみ深い沈黙が落ちた。父さんがぽつりと言った。

「でも、それがどうしたっていうんです？　家内の昔の知り合いが死んだからって、それが我々と関係あるんですか？」

「あるのです」弁護士さんは胸を張った。「ですから、私がここにいるというわけです」

「なんのために？」

「皆さんお揃《そろ》いの場でないとお話しできないし、そう簡単に信じていただけるお話ではないと再三申し上げましたのには、ちゃんと理由がございましてな」

前川先生は、母さんに呼びかけた。

「奥さん、昔、あなたが澤村氏を助けたとき、氏が感謝して、『この恩は忘れない、将来、自分がまたひと財産築いたら、きっとあなたにも何かを残してあげるから』と言ったことを、覚えておいでですかな？」

今度は、父さんと僕が目をむいて母さんを見つめる番だった。

「おい、聡子、そんなことがあったのか？　助けたってどういうことだよ？」

「まあまあ、そのことは、あとでゆっくり」

前川先生が笑い、母さんはうなずいた。

「はい。覚えています。でも……」

弁護士さんは笑った。「まさかそんなことが本当にあるわけはないと思っておられた。

そうですな？」

母さんはまたうなずいた。

話の筋が、じわじわっと浮きだしてきたようだ。正直なもので、ごくりと唾《つば》を飲み込んでから、父さんが言い出した。

「ということはですね、なにですか、その澤村という人が、家内への恩を忘れないで、家内のために、なにか遺産を残してくれたというわけですか？」

前川先生は落ち着いていた。「そのとおりです。正確には、〝遺贈〟ということになりますがな。奥さんは、澤村氏の血縁ではないわけですから」

父さんが、「はは」というような声を出した。

「あたし……本気になんかしてなかったわ」と、母さんがまた夢現《ゆめうつつ》になってつぶやく。

「澤村氏はたいへん有能な事業家でしたが、浮沈の多い生涯をおくられ、とうとう一度も結婚されず、子供ももたずに亡くなりました。氏の両親はもう故人ですし、兄弟姉妹もいません。つまり、事業を引き継ぐ血縁者がいないわけですな。そこで、ご自分の余命がもう短いとわかったときに、すべての事業・資産を売却し、現金化してしまわれました」

僕たち三人は、「はあ」と言った。

「もう一度申し上げますが、澤村氏には、親も、妻も、子供も兄弟姉妹も、もちろん孫もいませんでした。直系尊属も、配偶者も、直系卑属も、代襲相続人もいない。遠縁の親戚《しんせき》はいますが、わが国は血族無限相続主義をとっていませんので、彼らには相続人たる資格がない。ですからこの場合、放っておけば、氏の遺産はそのまま国庫に帰属することになるわけです」

父さんがまた唾を飲み、母さんが目尻《めじり》に残った涙をふいた。

「そこで、澤村氏は遺言を書かれました。これは、公正証書遺言といって、検認の手続きも要らない、そのままストレートに有効な遺言状です。私は生前の氏の顧問弁護士をしていた関係で、遺言執行人に指定されました。その遺言のなかで澤村氏は、奥さん、あなたに、財産を全額遺贈すると書いておられます。おわかりですかな？」

僕らはみんな〝おわかりになって〟きつつあったけど、信じられなかった。

「それでその……澤村とかいう人は、家内にいくら残してくれたんです？」

かばうわけじゃないけど、そう尋ねた父さんを、僕は恥ずかしいとは思わない。僕だって、それを知りたくて叫びだしそうになってたんだから。

「税金――これが非常に莫大《ばくだい》なのですが――それから、もろもろの経費を差し引いて、まったくの手取額で申し上げまして――」

にっこり笑いつつ、弁護士さんは右手をあげ、指を五本示した。意味は違うけど、ついさっき、ワンショット・クラブの受付のお姉さんがそうしたのと同じように。

「五千万円ですか？」

乗り出す父さんと、唖然《あぜん》としている母さんに、前川先生は、ゆっくりと首を振ってみせた。

「いいえ。五億円です」

**3**

ひとよんで、〝放浪の相場師〟。澤村直晃は、そういう男だった。

「なんだ、事業っていっても、要するに株やってただけじゃないか」

翌日のこと。放課後の屋上で、鉄柵《てっさく》に寄りかかりながら、島崎はそう言った。

「ずっと一人ぼっちでさ」鉄柵に肘《ひじ》をかけて、僕は言った。「会社もつくらなくて、流れ歩いてたみたいだよ」

島崎は、眼鏡をつとずらすと、ふっふと笑った。「流れるったって、せいぜい兜町《かぶとちょう》のなかだけだろ？　相場師が、相場のないところに行ったってしょうがないんだ。あんまりロマンを感じるなよ」

僕はむっとした。「でもさ、すごいと思わないか？　たった一人で、五億円も財産残したんだぜ。税金とか引かれる前なら、もっともっと、その倍ぐらいの資産があったんだろうさ。男一匹身体を張って、それだけ築いたんだ」

「仮に十億円だったとしても、機関投資家なら鼻息ひとつで動かす額さ」島崎はケロリとしている。「今はね、個人の時代じゃないんだよ。組織がなきゃね」

「おまえって、嫌なヤツだな」

「ただ客観的なだけさ」島崎は鉄柵を握ってうんと身体をのばすと、少し心配そうな眼差しで僕を見た。「顔色が良くないな。一夜にして億万長者となった家の子供とは思えない。どうしたんだ？」

これで、決して悪いヤツじゃないんだ。

「よく眠れなかったんだよ」

「興奮のあまりか？」

「それもあるけど……」

昨日、弁護士の前川先生が帰ったあと、僕と父さん母さんは、一時的に完全な虚脱状態になってしまった。それぞれリビングの床や椅子《いす》にぺたりと座り込み、てんでに別の方向を見つめていた。母さんは北極を、父さんは南極を、そして僕は赤道のあたりの方角を。

夕暮れに、お隣の正岡《まさおか》さんのおばさんが回覧板を持ってきて、開けっぱなしの玄関から首をつっこみ、薄暗い部屋のなかをのぞきこんで、

「緒方さーん、停電ですか？」と声をかけてくれなかったなら、今朝までそうしていたかもしれない。

そのあと母さんは、澤村直晃という人とのあいだにあったことを、ぽつりぽつりと説明

してくれた。

「二十年前の——まだ寒いころのことだったわね。あれは一月の末だったかな」と、母さんは話を始めた。

当時、母さんは十九歳。故郷の高校を卒業し（母さんは群馬県の暮志木という町の出身です。そこには今でも僕のおじいちゃんとおばあちゃんと伯父《おじ》さん夫婦がいて、スーパーマーケットを経営してる）、一人で上京して、秘書養成の専門学校へ通っているころだった。まだ父さんとは知り合っておらず、ほかにも決まったボーイフレンドはいなかった、という。

「今どきの女の子たちと違って、当時の学生はみんな貧乏だったもの。母さんも、アルバイトしながら生活するだけで精一杯だったわね」

そのころ母さんが暮らしていたアパートの名は「いさか荘」。江戸川の土手下にある、いわゆる文化住宅をアパートに改装したもので、住み心地は悪くなかったようだけど、名前が災いしたのか、大家さんと店子《たなこ》とのあいだに諍《いさか》いが絶えず、しょっちゅう入居者の顔触れが変わっていたので、近所づきあいはほとんどなかった。母さんは、二十五歳で結婚するときまで居続け、結局「いさか荘」の最長不倒距離《バッケン・レコード》の店子になったのだけれど、その間に知り合いになったほかの店子は、たった一人だけだった。

それが、澤村直晃氏だったのだ。

「母さんの左隣の、205号室にいたの。いつ引っ越してきたのかもわからないくらい、静かなお隣さんだったわね」

母さんが初めて彼と顔をあわせたのは、ある夜遅く、銭湯から帰ってきたときのことだった。いさか荘の外階段の途中に、彼が座っていた——正確には、半分倒れこんでいたのである。母さんは困ってしまった。

「それまでにも、たまに顔を見かけることはあったから、隣の人だってことは知ってたけど、話をしたことはなかったし、だいいち、あのころの母さんから見たら、相手はもういいおじさんよ。正直言って、気味が悪かったわ」

最初は、酔っているのかと思って、かかわらないようにそうっとそばを通りすぎようとした。でも、お酒の匂《にお》いはしないし、薄暗い街灯の明かりの下でも、相手の顔色が半紙のように真っ白であるのを見て取って、母さんは決心した。声をかけてみたのだ。

「もしもし？　って言っても、返事がないのよ。こんなとこで寝てたら、それだけでも凍死しちゃうかもしれないなんて思って、おそるおそる肩に手をかけてみて——」

相手が失神していることと、左肩から脇腹《わきばら》にかけて、びっしょりと濡《ぬ》れていることに気がついた。雨じゃないよ。出血してたのだ。

「母さん、なんにも考えられなくなっちゃってね。声も出せなかった」

手にしていた洗面器を取り落とすと、シャンプーだのブラシだのタオルだのが、バラバラと階段の上に散らばって、そのひとつが倒れている男にも当たった。彼はそれで気がつき、弱々しく目をしばたたかせながら母さんを見上げた。

「き、き、き、救急車――」

呼びましょうか、と言いかける母さんに、怪我人《けがにん》は黙って頭を振り、大儀そうに手をあげて、(あっちへ行け)という仕草をしたそうだ。

今でもそうだけど、僕の母さんには、すごくヘソ曲がりなところがある。どんなものごとでも、頭からあんたには関係ないよと言われると、ムカッときて深入りしちゃうのだ。だからしょっちゅう、学校関係の役員をやらされてる。周りに、誰か、母さんのこういう性癖をよく理解してる人がいるんだな、きっと。

このときも、追っ払われかけて、母さんのヘソが曲がった。

「だってあなた怪我してるじゃありませんか」と言ったそうだ。すると怪我人は、さっきよりももっと乱暴な仕草で、もう一度(あっちへ行け)をやったそうだ。それじゃ火に油なんだけどね。

母さんは彼のそばにしゃがみこみ、言った。

「あなた、205号室の人でしょ? とにかく、お部屋まで連れてってあげます。ここで死なれちゃ困るのよ。あとで掃除がたいへんだもの」

言うが早いか、怪我人の身体に手をかけて、押したり引っぱったりしながら起き上がらせ、引きずるようにして階段をのぼった。二十歳《はたち》ぐらいの女の子が、ぐったりしている大の男を運んでいくのだ。上手にできるわけもなく、彼は死ぬような目にあわされたに違いない。実際、あとでよく調べると、どう見てもそのときにできたとしか思えない痣《あざ》がふたつもあったそうだから。

怪我人を叱咤《しった》して鍵《かぎ》を出させ、ドアを開けると、

「びっくりしたわ。部屋のなか、家具らしいものが何もないの。石油ストーブがぽつんとあるだけ。ただ、畳とか壁とかは、きれいになってたけどね」

彼を畳に寝かせておいて、母さんは電話を探した。まだ救急車を呼ぶつもりだったのだ。ところが、当の怪我人は、またまた母さんに（帰れ）と言ったそうな。

「あんたみたいな娘さんのかかわることじゃないからって」

だけど、母さんとしてはそれで引き下がる気にはなれなかった。明かりの下で見ると、思っていたよりずっとひどい怪我で、放っておけば本当に死んでしまうかもしれないと思ったのだそうだ。

「ここであなたに死なれちゃうと、わたしは何かの罪になるかもしれないじゃない」

とっさに思いつくままにそう言ってみると、瀕死《ひんし》の怪我人は笑いだした。

「笑ってる場合じゃないわよ」母さんが怒ると、彼はちょっと真面目《まじめ》な顔になり、しばらく考えてから、こう言った。

「言うとおりにしないと、本当に笑い事じゃなくなるよ」

「だから救急車を呼びましょうよ」

「救急車はまずいんだ。それに、警察も」

そこでやっと、母さんにもわかった。

「弾傷《たまきず》だったのよね……」

そうなると、言われたとおりに自分の部屋に帰って知らん顔を通したほうが安全だと決まっている。だけど、母さんにはそれができなかった。

「誰だってそうだと思うわよ。あれで、あの人が見るからにヤクザ風だったなら話はべつだけど、そうは思えなかったし……」

そこで母さんは訊《き》いた。「じゃ、どうすればいいの？　こっちだって気分悪いわ。隣であなたが死にかかってるってのに、ホットカーラー巻いてテレビを観ていられるほど、わたしは神経が太くないもの」

それでも、怪我人はまだしばらくためらっていたそうだ。そのあいだにも出血はひどくなるし、母さんは気が気じゃなくて、何度か救急車を呼ぼうと立ち上がりかけたって。

「じゃ、ひとつだけ頼まれてくれ」

そう言われて、母さんは引き受けた。怪我人の告げた電話番号に連絡することを。

「相手が出たら、〝澤村の代理の者だけど、すぐ来てくれ〟って言えばいいというの。もし誰も出なかったら、あきらめて布団をかぶって寝ろってね」

母さんは言われたとおりにした。最初の電話では、誰も出なかった。二度目も駄目。悪態をつきながら三度目をかけると、今度は通じた。眠たそうな男の声で、「わかった」と言って、すぐに切れたそうだ。すると、怪我人は言った。

「もういいよ。ありがとう」

で、また母さんを追い出そうとした。今度は母さんも一応従ったけれど、自分の部屋に戻ると、使い古しのバスタオルを二枚抱えて、２０５号室へ戻ったそうだ。けっこうムキになる性格だし、根は優しいし、ちょっとお節介焼きなんだよね。

「止血の仕方なんて知らないから、ただ押さえてただけだけど」

何もしないよりはましというわけだ。怪我人は呆《あき》れているようだったけど、そのころにはもう本当にひどく弱ってしまっていて、ぶつくさ言わなかった。

「それから三十分ぐらいして、五十をちょっと出たくらいの年齢の、機嫌の悪そうな顔つきの男が、カバンをひとつさげて訪ねてきたの」

カバンの中年男は、母さんを追い出すと、何やらとりかかった。

「その人、もぐりのお医者さんだったのよね、きっと」

明け方になって、カバンの中年男が母さんの部屋のドアをノックして、

「報《しら》せてくれたのはあんたか？」

「そう」

「あんた、澤村の女《いろ》かね？」

「ただ隣に住んでる女よ」

朝日とともに、母さんの心に臆病風《おくびょうかぜ》が吹き、分別も戻ってきていたので、精一杯強がっていたんだって。カバンの中年男は、母さんをじっくり観察すると、にやりと笑った。

「行き掛かり上、面倒を見るつもりがあるなら、これからどうすればいいかを教えよう。でも、その気がないなら私はただ帰るだけだよ」

「そうすると、どうなるの」

「まあ、近いうちに、あんたは新しい隣人を持つことになる。その前に、大家は畳替えをせにゃならんだろうが」

母さんは考え、思い切って尋ねた。「隣の人、暴力団の関係者？」

「ヤクザな人間だが、ヤクザではないね。少なくとも、あんたを売り飛ばしたり覚醒剤《シャブ》を射ったりするような人間ではない」

「シャブって何？」

母さん、知らなかったんだってさ。

「まあ、いい。あんたはかかわらないほうがいいかな」

「だけど、寝覚めが悪い気がする」

それなら、と言って、カバンの中年男は、包帯の替え方、薬の飲ませ方などを教えると、「このことは、誰にも話さないほうがいい」と念を押し、「私は二日に一度ぐらいの割で顔を出す」と言い置いて、さっさと帰ってしまった――

「じゃ、それで、おまえんちのおばさん、隣の男の看病をする羽目になったわけだな？」

眼鏡を光らせて、島崎が尋ねた。僕はゆっくりうなずいた。

「ドラマチックだろ？」

白状すると、この昔語りを聞きつつ、僕は何度か笑いだしそうになった。「ウッソだーい」という感じなんだもの。それはちょうど、父さんと母さんの恋人時代のエピソードを聞かされているときの気分と似ていた。

「忘れがちなことだけど」と、島崎は言った。「僕らの親にも青春はあったんだ」

「そうなんだ。うちの母さんにも十九歳の春はあった」

「でも、現在の五億円遺贈騒ぎがなければ、おまえんちのおばさんが若い頃に日活無国籍アクション映画を観すぎたのだと思いたいところだね」

「オレ、今もそう思ってる部分があるよ」

「その方が気が楽になるもんな」

母さんが隣の怪我人を面倒みたのは、二週間ぐらいのことだったらしい。最初の三日間ほどは、目が離せない状態だったので、学校も休んだんだってさ。

危ないことは、何もなかった。窓から弾丸が飛んでくることもなく、不審な人物がいさか荘の周囲をウロウロすることもなかった。もっとも、いさか荘がそういう安全な隠れ家だったからこそ、隣の男もそこまで帰りついてぶっ倒れたのだろう。

不機嫌なカバン男は、約束どおり、二日に一度の割でやってきた。そして、うつらうつら眠っていることが多い怪我人《けがにん》に代わって、さしつかえのない範囲内で、母さんの疑問に答えてくれたのだそうだ。

「この男は、株屋だよ」

怪我人の素性については、そう言っただけだった。

「あの世界もいろいろと危ないことが多いからな。たまにはこんな目にも遭うさね」

「名前はなんていうの？」

「自分で名乗ったかい？」

「いいえ、まだ」

「ここは表札も出てないしな。本人に訊いてみるといい。ただし、こいつが名乗る名前が本名かどうかは、私にもわからんよ」

だから、怪我人が、しゃべれる程度に回復して、自分の名は「澤村直晃」だと名乗ったとき、母さんは笑ってしまったんだって。

「何がおかしいんだって訊くから、不似合いな偽名だって言ったの。そうしたら、あの人も笑ってたわね」

もっとも、二人は、ほとんど話らしい話をしなかったそうだ。母さんとしては、好奇心半分、臆病半分で、あまり詮索《せんさく》できなかったというのが本音じゃないかな。澤村という男のほうも、母さんの素性について、あれこれ尋ねはしなかったって。ただ、結果として学校を休ませてしまったことを、ずいぶん気にしているようだった。

「どんなことを習ってるんだって訊くから、簿記とか、英文タイプとかだって教えたの。そのころ母さん、タイプが苦手でね。どうやっても上手くならないし、試験にも落ちてばっかりだってコボした覚えがあるわ」

こういうおかしな近所づきあいが続いたのは、さっきも言ったように、二週間ぐらいのことだった。終わりは唐突にきた。澤村氏がふっと姿を消したのだ。

そして、消える前日、彼が言ったのが、例の台詞《せりふ》なのだった。前川先生が再現した、あの台詞。

「この恩は忘れない、将来、自分がまたひと財産築いたら、きっとあなたにも何かを残してあげるから」

この時、母さんは洗濯した包帯を干していて、この決めゼリフを背中で聞いていたそうだ。

「こんなおんぼろアパートに住んでる人が、よく言うなあって思ったわ」

前川先生も言っていたとおり、澤村という人は、実際、あがったりさがったりの激しい生涯をおくったのだろう。そして、母さんと遭遇した人生のこの時期、彼の船は、世間という海のうんと底のほうに沈んでいたのに違いない。ほとんど身ひとつでボロアパートにいたのも、危ない目に遭ったのも、そのせいだったのだ。

だから、そのとき母さんが本気で聞かなかったという彼のこの台詞は、彼が自分自身に言い聞かせていた言葉でもあったのかもしれない。

翌日、彼はいなくなってしまった。学校から帰ってきた母さんは、郵便受けに封筒が一通投げ込まれているのを見つけた。

「現金で十万円と、手紙が一枚。そんなことはないと思うが、万が一、自分がいなくなったあと、自分を探して人が訪ねてきたり、あなたに迷惑がかかるようなことがあったら、ここへ連絡しなさいって、電話番号が書いてあったの。それは、あのお医者を呼んだときの番号でね」

彼はまだ治りきっていなかったし、母さんは心配で、すぐそこへ電話してみたそうだ。でも、誰も出なかった。何度かけても。

２０５号室の住人については、大家さんも何も知らなかったそうだ。敷金・礼金・家賃、全部をちゃんと払い、とくに敷金はそのままにして引っ越していっちゃったから、むしろ大家は喜んでいた。入居のときの身上書に書かれていた本籍はでたらめ、仕事も「自営」

とあるだけだったそうだ（その程度の審査で入居させちゃうから、店子《たなこ》との諍《いさか》いが絶えなかったんだよね、きっと）。

母さんは、タヌキに化かされたような気分だったたって。

一ヵ月ほどすると、母さんあてに小包が届いた。やけに重たいその箱を開けてみると、新品のコロナのタイプライターが出てきたそうだ。今度は、手紙はついていなかった。

母さんはまた、あの医者の電話番号へかけてみた。もうつながらなかった。

「この番号は現在使われておりません……」

以来、澤村という男にも、不機嫌そうな医者にも、二度と会う機会はなかったと、母さんは話してくれた。それきり、もう二度と。

ともかく、澤村直晃はそういう男だった。

話は深夜まで及び、僕がベッドにもぐりこんだのは午前三時をすぎたころだったと思う。なかなか寝付かれず、寝返りをうってはあれこれ考え、くたびれ果てて、そういう時はえてしてそんなものだけど、陽が昇ってから熟睡してしまい、朝目を覚ますと、なんと午前十時二十分になっていた。

今度も、起こしてくれたのは正岡さんのおばさんだった。ドアをばしばし叩《たた》き、大声で僕らを呼んでいる。僕が這《は》うようにして部屋を出てゆくと、昨日の服装のままの父さんが、よろよろとドアを開けに行くのが見えた。

父さんに近寄ると、ぷんとウイスキーの匂《にお》いがした。二人がドアを開けると、正岡のおばさんが飛び込んできた。

「ああ、驚かさないでよ。ちゃんといるんじゃないの。昨日は真っ暗ななかに三人で座り込んでたし、今日は今日でこんな時間になっても窓も開けないんだもの、一家心中でもしたのかと思って、我慢できなくて様子を見に来たのよ」

父さんはまだ目が覚めきっていないという顔で、ぼやっと立っていた。小さなマンション内のことだ。ヘンな風には思われたくない。僕は急いで言い訳をした。みんな、インフルエンザにかかったみたいなんです――

島崎は眼鏡を押し上げると、僕をじっくり観察した。「たしかに、流行《はや》り風邪にやられたような顔だ」

僕も朝、自分の顔を鏡で見てみて、かなり悲惨だと確認していた。

「気になってるのは、昨夜の父さんの態度と、今朝の酒臭さなんだよね」僕は小さく言ってみた。「なんか、ただ驚いているだけという以上の、いやあな感じがするんだよ」

あんなふうに、目が血走るほど飲んだ父さんを見たのは初めてだった。

「頭のうえに、いきなり五億円落ちてきたんだぜ」島崎は慰めてくれた。「平静でいろというほうが無理だ」

「五億円ね……」

五億円という言葉を口にするとき、僕はどうしても小声になってしまう。おまけに、周囲をきょろりと見回してしまう。なんか、会社の金を横領する小狡《こず》い係長になった気分だ。横領というとどうして「係長」なのかそれはわからないけど、なんとなく「係長」のような気がするだけで、深い意味はありませんよ。

「僕ら、その金と心中させられやしないかしら」

「そりゃ、五億円分の札束で殴られたら、死ぬかもしれないな」島崎は言って、顔をしかめた。「しかし、五億ってのは不吉な数字だ。三億円なら縁起が良かったのに。あれは完全犯罪だったからな」

「なんだって?」

「府中の三億円強奪事件だよ。五億円は、田中角栄がやられちゃった金額だ。ロッキード事件でさ。彼は、良くも悪くもわが国を動かした最後の独裁者だった。彼がすべったことで、独裁者が英雄であり得た時代は終わりを告げたんだ。あとの政治家は、みんな派閥のロボットだもんな」

「なんのことだかわかんないよ」

「まあ、いいさ」と言って、島崎は笑った。その笑顔だけなら、子役にだってなれそうな可愛《かわい》らしさにあふれてるのに（うちの母さんは、俊彦ちゃんは大人になったらハンサムになるよと言っている）黙っていられないところがいけない。どうして、島崎さんちみたいな実直な床屋さんに、こんな息子ができちゃったんだろう？

僕は僕の親友、天下国家を論じる床屋の息子をながめた。彼は夕陽に顔を向けて、まぶしそうに目を細めている。

「すごい夕焼けだ。空が溶けそうだね」

話題をそらすようなつもりでそう言ってみると、島崎はこちらを見ないまま言った。

「それより、血の色に似てる。おまえんち、これからいろんな点で血を流さなきゃならないぞ。本当の嵐《あらし》はこれからだ」

「おまえって、ホントに嫌なヤツだな」

だけど、島崎の言うことは当たっていた。それも、あらゆる意味で。

## 4

騒動が始まったのは、前川先生の訪問から、たった三日後のことだった。そのときはまだ、母さんは、遺贈された五億円を受け取るという正式な返事をしていなかったし、必要な事務手続きも済ませてもいなかった。

それでも、それはやってきた。

島崎は、「地震が起こったんだから、津波が来るのもしょうがないさ」と言った。「津波が来るってときに、血相変えて浮き輪やライフジャケットを探したって無駄だよ。とことん逃げるか、逃げきれないならあきらめて、救助が来るまで、何にでもいいからしがみついて持ちこたえてることとさ」

最初に記事を載せたのは、駅売りの夕刊紙だった。父さんが会社の帰りに買ってきて、その見出しを見せてくれたとき、僕はこれが、「阪神タイガースの来期監督は板東英二」みたいなレベルの、みんながあんまり本気で受け取らない種類の見出しに終わってしまうことを、切に願った。隣近所の人たちがこの見出しを見ないことを願った。見たとしても、この「緒方一家」が僕たちのことだと気付かないでいてくれることを願った。この新聞を印刷しているところでインクの配合違いがあって、記事がみんな一時間ぐらいで消失してしまうことを願った。

そして表面上には、僕の願いは聞き届けられたように見えた。その夜は、「ねえ、これお宅のことじゃない？」と、夕刊紙を持って訪ねてくる近所の人は誰もいなかったし、翌日僕が登校するとき、同級生が道の向こう側から「よ！　億万長者！」と声をかけてくるということもなかった。父さんも、会社で誰かになにか言われるようなことはなかったと、ほっとした顔で帰ってきた。

（この程度で済んでくれるのかな……）なんて、ふと思ったりもしたくらいだ。

だけど、あとから起こったことと比べて考えると、これはまだ、小火《ぼや》の段階だったのだ。

そこで燃えている火そのものは、たいして大きなものではなかった。放っておいても消えてしまうという勘違いを誘うほどの、ごく小さな炎。だけどよくよく見たならば、きっと気づいたはずだ。その火がただの小火でなく、狼煙《のろし》であったということに。しかも狼煙というものは、遠く離れるほどよく見える。

僕たち一家が本当に恐れるべきものは、ご近所なんていう小さなコミュニティではなく、狼煙の見える範囲にいる、未知の人たちだった。そして、そうした未知の人たちが押し寄せてくることによって、僕たちの周囲にいた、僕たちをよく知っているはずの人たちまでが未知の人たちの側に取り込まれてしまうことだった。それまで何も見ていなかった近所の人たちが、外からやってきた人たちに教えられて、自分たちのすぐ足元から狼煙があがっていることに気づいてしまうことだった。

夕刊紙の記事から二日後に、写真週刊誌が続いた。そのころから、家の電話が頻繁に鳴るようになった。取材申し込みあり、親戚《しんせき》からの驚愕《きょうがく》の声あり、気の早い知人からの借金の申し込みあり、寄付の要請あり、不特定多数のおかしな人たちからの脅迫電話あり。この、最後の種類のものが、いちばん本数が多く、胸クソ悪いものだった。

続いて人が訪ねてくるようになり、そのあとにテレビがやってきた。こうなると、もう末期症状だ。僕たちは、知りたがり屋のマスメディア(ほんとにこいつらマスコミか?)に、日和見感染したようなもので、外的な自覚症状は、呆《あき》れるほど多種多様だった。

バカ騒ぎの度合いは、尻上《しりあ》がりに大きくなった。それは雪だるま式というよりも、映画『ファンタジア』のなかに出てくる、魔法使いの弟子に呪文《じゅもん》をかけられ、動くことができるようになったほうきの有様に似ている。呪文の解き方を知らない魔法使いの弟子が、ほうきをとめようと、それを頭からまっぷたつに割っても、割っても、また割っても、ほうきはどんどん増え続ける。そう、ちょうどあれとそっくりだったよ。

ただ、映画のなかで魔法使いの弟子を演じたミッキー・マウスと、僕たち一家との違いは、最初の呪文をかけたのが自分たちではない——ということ。そして、僕たちには、ほうきがいよいよ手におえなくなったときに現われて、呪文を解いてくれるお師匠さまがいなかったということだ。

理屈では、わかってる。東京の下町の中古マンションに暮らしている——そのローンをぜいぜいいいながら払っているサラリーマンの一家に、突然ぽんと五億円がプレゼントされたんだ。こりゃもう、騒ぎがいのある事件だよ。なんせ、〝長者番付〟と銘打って、毎年一度赤の他人の懐具合を詮索《せんさく》することが恒例になっている国のことだもの。宝くじの賞金の上限の五倍の金を、いきなりお皿に載せて差し出された僕たち一家のことを、放っておいてくれるわけがない。

もちろん僕だって、これまで、他人のスキャンダルに興味を持ったことがなかったなんて、きれいごとを言うつもりはない。だから、当然のバチがあたったのかもしれないさ。

でもね、もし、僕たち一家がこれまでに、芸能人の離婚騒動や、天災の被災者の様子や、大きな事故の現場の有様や、その他もろもろの新聞ダネを興味深く見つめてきたことの罰に、五億円という鉄槌《てっつい》が降ってきたのだとしたら、僕のうちのインタホンを壊すほどに押しまくったり、防音雨戸を外しちゃったり、隣近所のうちに土足で踏み込んでいって、「緒方さんはどんな人ですか?」なんて詰問し、あまつさえそのうちから電話をかけ倒し、それに抗議した家の人と口論してぶん殴り、それだけじゃ足らなくて父さんの職場に押しかけていってトイレのなかまでつきまとったり、登校する僕を校門の陰で待ち伏せしていたり、買物に行った母さんを追い回してスーパーの床にすっ転ばせたりした連中の頭の上には、何が降ってくることになってるんだろう。第二のデ・ビアース社を興せるくらい豊富なダイヤモンド鉱山かな。

僕たちは最初、できるだけマスコミを避け、取材に応じないようにしていたのだけれどいくらそうしても、情報は他所《よそ》からどんどん漏れ出ていく。この場合の〝他所〟というのは、全部親戚の人たちだ。僕たちだって、まさか身内にも何もしゃべらないわけにはいかないから、どうしたって説明するでしょう。それが全部、外へ筒抜けなのだ。とりわけひどかったのが、父さんの側の親戚だった。

母さんの方は、まだ母さんの両親が健在だから、ぐっと睨《にら》みをきかせてくれていた。でも、父さんは早くに両親を亡くしていたうえに、一人息子だったから、伯父《おじ》さんだの従兄《いとこ》だのはとこだの、あまり責任のない斜めの関係の人たちしか残っていなかったので、歯止めがきかなかったのだと思う。

となると、ヘンに歪《ゆが》んだり間違って伝えられるよりも、自分たちで話したほうがいい。だから、途中で思い切って方針を転換し、僕たちもインタビューを受けるようになった。

マスコミ――とくにテレビのワイドショー関係は大喜びだった。美談だ、美談だと持ちあげて、母さんをちやほや褒めそやす。そして、ときどきチクリと、お金の使い道につっこんできたりもした。

取材攻勢にあっているのは、前川先生も同じだった。弁護士には守秘義務があるの一点張りで、全部門前払いをしているようだったけれど、事務所の前に張り込まれたりして、かなり迷惑しているようだった。

「澤村さんは、ある限られたところでは有名人でしたから」いささか疲れた様子で、そう説明してくれた。「あのかたが末期癌《がん》で入院し、私があのかたの依頼を受けて、財産の現金化や遺言状の手配などを始めたときから既に、一部では注目されていたのです。こういう大騒ぎは、覚悟していただかねばならないと思っておりました。しかし、一時的なものですよ。ぐっとこらえて我慢なすってください」

騒動が拡大するにつれて、先生の事務所とも連絡がとりにくくなってしまい、文句を聞いてくれる先が失くなってしまったので、とりわけ父さんはカンカンだった。

僕たち三人とも、この未体験の嵐《あらし》に巻き込まれると、すぐに疲れ果ててしまった。何もしないで五億という大金をもらえるんだ、ちょっとぐらい我慢すればいいじゃないかと思われるかもしれないけれど、もらえると言ったって、目の前にお札の束があるわけではなく、我が家が急に豪華なマンションへと変化したわけでもない。生活は変わらないのに、周囲だけが激変してしまったのだ。たまったものじゃない。疲れ、嫌気がさし、黙りこくっていることが増え、たまに口を開けばすぐ喧嘩《けんか》。怒りっぽくなった僕たちは、ちょっとしたことでもすぐカッとなってしまっていた。

とくに、父さんと母さんのあいだには、たびたび火花が散っていた。歯磨き粉がないとか、ゴミを出し忘れたとか、小さなことで言いあいを始め、あとはむっつり黙り込んでいる。今まではそんなささいなことで喧嘩なんかしたことなかったので、ああ二人とも疲れてるんだなあと思ったものだ。父さんなんか、毎晩会社から帰ってくるたびに、少しずつ頬《ほお》がコケてゆくみたいだった。

そのころの僕たちは、島影ひとつない大洋のど真ん中で、舳先《へさき》をつきあわせた三隻の難破船だったのだ。それぞれ姿は見え声も届くけど、助け合うことはできない。おまけに、無線機には、雑音ばっかり入ってくる。

ただ、この時点では、僕はまだ、この小戦闘がただの八つ当りのしあいではなく、その底に深刻な意味があるのだということを、恥ずかしながら、理解していなかった。外から入ってくる雑音を、ただのノイズとして聞き流していたのは、僕一人だけだったのだということにも、気がついてはいなかった。

僕は、ただの〝幸せなお子さん〟にすぎなかったのだ。


回り舞台がまわるように、事態が新しい局面を迎えたのは、七月十四日のことだった。そのころの僕は、夏休みがやってくるのを、本当に指折り数えて待っていたので、日付に関する記憶は正確だ。

夏休みは、当時の僕を、毎朝登校の途中で、どこからか飛び出してくるレポーターをかわして学校の門の内側に逃げ込むような生活、しかも、逃げ込んだ先で、先生にまで「おい、五億円」なんて呼ばれるような生活から切り離してくれる、唯一合法的な手段だったのだ。本当に、待ち遠しかった。

サッカー部の練習では、球拾いをしていると、露骨に顔目がけてキックが飛んでくる。ドリブルの練習をしていれば、足を引っかけられて転ばされる。これ、僕の被害妄想じゃなかったと思う。学校という共同体は、いろいろの欲求不満をギュウッと抑えて蓋《ふた》をしてねじをまわしてあるようなところだから、どこかに空気抜きの穴があくと、爆発的な勢いで、封じこめられた憤《ふん》怒《ぬ》や不満や怨念《おんねん》が飛び出してくるんだ。それはみんな〝おふざけ〟の仮面をつけて、笑いながら襲いかかってくる。飛び出してくるもののなかには、先生たちの感情も混じっている。人間だからね、先生も。

もちろん、なかには、悪ふざけを止めてくれる先生もいたけど、なんてったって多勢に無勢だ。〝学校の自治〟を盾に、マスコミが入りこむことだけは防いだけれど、校内での騒ぎが大きくなってくると、担任の先生がうちへ電話をかけてきて、しばらく休校するように勧めてきた。もう試験も終わったんだし、いいじゃないですかというわけだ。

母さんも、それに賛成のようだった。だけど僕は絶対に嫌だと突っぱねた。夏休みを心待ちにしていながら矛盾した態度だと思われるかもしれないけれど、これは意地です。わかるでしょ？

ともかく、当時の僕は、キックオフで試合が始まったとたん、味方の選手全員が相手チームに寝返って、こちらに向かって攻めてくるのを、ただ唖然《あぜん》と見ているだけのゴールキーパーのようなものだった。しかも、審判はこちらに背中を向けている。

唯一息が抜けるのは、島崎といるときだけだった。彼はちゃんと目を開き耳を澄ませていて、僕という難破船が、さらに危険の多い暗礁のほうへと流されていかないように、錨《いかり》になってくれていたのだ。

そして、事態の変化を最初に報《しら》せてくれたのも、彼だった。

学校が引けて部活も終わった、夕方五時半ごろのことだったと思う。島崎の家に寄って、お店の営業の邪魔をしないように裏口からあがり、屋根裏のように狭くて天井の低い彼の勉強部屋で、コーラをご馳走《ちそう》になっているときだった。彼の家は、僕の家への帰り道の途中にあるので、以前から、ときどき寄り道をすることがあったのだけれど、このことが始まってからは、帰宅時間を狙《ねら》ってゴシップ好きの記者に襲われたり、近所のおばさんたちの好奇心の的にされる危険を避けるため、頻繁にそうするようになっていた。

「さっき、階下《した》で見つけた。今週号だ」

そう言いながら、島崎が一冊の写真週刊誌を投げてよこした。

「新たなる展開だな。そこに、澤村って人の写真が出てるよ」

僕はびっくりして週刊誌を拾った。「ホント？」

驚きあわてる理由はあったのだ。それまで僕は、澤村直晃氏の顔を知らなかったのだから。

澤村氏には写真がないと、前川先生からは言われていた。顔を知っている母さんはともかく、僕と父さんは、彼がいったいどういう人だったのか知りたくて、一所懸命頼んでみたのだけれど、返事はいつも「ありませんのですよ」の一点張りだったのだ。

この点では、週刊誌もテレビもみんな、同じ欲求不満におちいっていた。ある人物について語るとき、写真の持つインパクトは、活字のそれの比ではない。しょうがないから、ロマンス・グレイの〝おじさま〟風イラストを添えたりして誤魔化しているようだった。

「たぶん、死ぬ前に誰かに頼んで始末させたのか、それとも自分で処分しておいたのかな。

まあ、もともと、写真に撮られる機会自体も少なかったんだろうけどね。芸能人は別だけど、普通の人間は、家庭人にならないと、案外、写真を残さないもんなんだな」と、島崎も言っていた。

だから、そのときまでの僕にとって、「澤村直晃」はまるっきりの活字人間だった。もう死んでいたのだから活字幽霊かな。とにかく、字面で見る名前しか知らない人だったのだ。イラストには、全然ピンとこなかったもの。

ところが今、ここにその人の写真がある。僕は急いで雑誌をめくった。

「どこから探しだしてきたんだろう？」

「それ、スクープだぞ」めずらしく憂鬱《ゆううつ》そうな目をして、島崎は言った。「ヤバイことになってきたと思うよ」

「なんで？　今だって充分にヤバイよ」

「まあ、グラビアを見てみろって」

言われたとおりにページを広げて、僕はそこに、少しピンぼけのモノクロ写真を見つけた。ページの大きさいっぱいに引きのばしてある。

そこに写っているのは、長身でちょっと痩《や》せ気味の、機敏そうな男の姿だった。写真がボケているのは、被写体が移動している——画面のなかを右から左へ横切って、早足で歩いているからだった。

黒っぽい背広に、ネクタイは無地。上着のボタンをかけていないので、動きにつれて裾《すそ》が軽くひるがえっている。ちょっと横向きになっているので、顔は全体の四分の三ぐらいしか見えない。

手前に見えている左手には何も持っていないけれど、向こう側の右手は、肘《ひじ》が曲がっている感じからして、どうやら上着かズボンのポケットにつっこまれるところのようだ。とても馴染《なじ》み深く思えるその姿勢は、日本中の男性ドライバーが、車に歩み寄りながら見せる共通の仕草――そう、キーを取り出すところだ。そういえば、画面の端に、車のバンパーみたいなものがちょこっと写っている。

見出しには、たしかに「澤村」の名前がある。だけど僕は、(これ、違うぜ)と思った。澤村さんは、五十五歳のおっちゃんなんだから。

僕の戸惑いを察知したのか、

「一九七六年に撮られたものだってさ。そういや、背広のシルエットが今ほどゆったりしてないよな」と、島崎が解説した。「ということは、今から十五年前、澤村直晃氏四十歳の肖像だ。おまえんちのおばさんに助けられたときから考えると、五つ年齢《とし》をくってるという計算になる」

島崎は、椅子《いす》の背に寄りかかって僕をながめながら、この先、いろいろなところで、さまざまなトーンで口にされ、僕の耳に飛び込んでくることになる台詞《せりふ》を、彼一流の平淡な口調で言った。

「ちっと渋い感じのいい男だよな」

僕は黙っていた。異論がなかったから。

「少なくとも、おまえんちのおじさんよりはハンサムだ」

ことわっておくけど、これを言ったのは島崎だけだ。こんなストレートなことはね。

「はっきり言うと、ぜーんぜんハンサムだ」

「わかったよ。うるさいな」僕はハエを追うような仕草をしてみせた。「ちょっと黙ってよ」

この男を、母さんは助けたのだ。日活アクション映画みたいな筋書きで。

「この写真の当時はもう――この人、中年だよね?」

「どうかな……中年てのはイメージが悪い。男の四十歳っていったら働き盛りだよ。〝壮年〟と呼んであげたら?」

自分で質問しておきながら失礼だけど、島崎の返事は、僕の頭のなかを素通りしてゆくだけだった。写真に魅せられていたのだ。

「モテたろうね……」

「そりゃね。金だって持ってたろうし」

「女の人はいなかったのかしら」

「いたろうさ」

「この写真、そういう女の人が撮ったんだろうね」

島崎は天井を仰いだまま首を振った。「女性なら、なにかしら言葉をかけて、自分のレンズのほうを向かせてからシャッターを切るさ。そして、もしそんな写真の撮られ方をしたら、この澤村って人は、そのカメラを取り上げて、フィルムを引っ張りだしてくず籠《かご》へ捨ててたろうね……。これはさ、隠し撮りだよ。写したのは当局だ」

「トーキョク？」

「記事のほうに書いてある。この当時、ある自動車部品メーカーの株買い占めに絡んでちょっとしたスキャンダルがあって、警視庁が動いたんだって。なんてったってロッキード事件のあった年だから、こっちの方はたいした動きもなくて収拾しちゃったそうだけど、澤村直晃氏も、この事件の関係者で、ある期間マークされてたらしい。そういう写真がどうして流れ出てきたのかわかんないけど、まあ十五年もたちゃ、この件に関しては時効だろうからね」

「だけどさ」僕はグラビアを見たまま言った。「なんでこれがヤバイんだい？」

島崎は大きなため息をついた。「これで役者が揃《そろ》っちゃったからだよ」

「わかんないな」

「これが引き金になる可能性が濃いってことだよ。まわりが騒ぐだろうからな。たまんないよな。ぷっつんしちゃうかもしれない」

「誰がぷっつんするの？」

島崎はいやいやをするように頭を振って、

「これでさ、澤村直晃本人がさ、狆《ちん》を踵《かかと》で踏ん付けたような顔じててくれたらよかったんだ。人間なんて単純だから、外見に左右されちゃうからな。だけどそうはいかないし、しょうがないんだろうけどまずいよなあ。ヤバイぜこりゃ」

ひと息で言って、また鼻から息を吐いたりしている。僕にはちんぷんかんぷんだった。

「何が言いたいわけさ？」

「あのな」と、島崎は僕の方にかがみこんだ。「ついこの間も話したじゃないか。忘れがちなことだけど、僕らの親にも青春時代があった――」

「そうだよ」

「それと同じように、今の彼らにだって、傷つきやすいナイーブなハートがあるんだってことを忘れちゃいけないんだよ」

僕はゆっくりまばたきした。「島崎――具合でも悪いのか？」

「べつに。ただ、ちょっと悲しいだけだよ」

「何が悲しいのさ」

「これから起ることに対して、自分がまったく無力だからさ」

謎《なぞ》のようなことを言って、島崎は僕を見おろすと、気味が悪くなるような優しい声を出した。

「なあ、この部屋、窓には鍵《かぎ》をかけないでおくから。それと、予備の布団もあるから。そうそう、うちの物干しのハシゴは、上から三段目が腐りかけてるから、気をつけろよな」

僕は、島崎の気がヘンになってしまったのかと、危ぶみながら家に帰った。でも、それから一時間もしないうちに、そんな心配が的外れであることを知った。同時に、気が違う危険性があるのは、むしろ僕のほうであったのだということを思い知らされたのだった。

5

家に帰ると、母さんが一人きりで台所に立っていた。ここ数日、買物をするのさえ大仕事だったので、食事の支度もままならなかったようだけど、今日は大丈夫だったのかなと思った。

「ただいま」

声をかけても、返事がない。よく見ると、母さん、俎板《まないた》の上に茹《ゆ》でたほうれんそうを載せ、右手に包丁を構えたまま、ぼんやりと空を見つめているのだった。

あとあとになっても、僕は、その時の母さんの顔をよく覚えていた。ちょっと虚《うつ》ろで、ちょっと寂しげで、ほんの少し近寄りがたい感じのした、あの横顔を。

お母さんという存在を、近寄りがたく感じることなんて、絶対ないと思っていた。だからこそ、強く印象に残ったのだろう。僕はすぐには声を出すこともできずに、じっと母さんを見つめていた。いつ気がついて、「おかえり」と言ってくれるかと期待しながら。なぜだかわからないけれど、その場に限っては、僕が何度も呼ばなくても、母さんが自分から振り向いてくれる——ということが、物凄《ものすご》く大事なことのように思えたのだ。

だけど、母さんは気づかず、振り向かない。軽く首をかしげて、ぼんやり立っている。

とうとう僕も、辛抱が切れた。

「母さん」

無反応。

「母さんてば」

変化なし。

僕は両手でテーブルをたたいた。「母さん!」

びっくりしたように、包丁の先が跳ね上がった。母さんはきゅっとこちらを向いた。

「あら……まあちゃん」

「まあちゃんじゃないよ。どうしたの?」

「いつ帰ってたの?」

「たった今」僕はむくれてみせた。「なにを物思いにふけってんのさ。ぼやぼやしてると、ほうれんそうが俎板の上に根をはっちゃうよ」

「気持ちの悪いことといわないでよ」母さんは前歯を見せて笑った。「おなかすいたでしょう？　あと十分ぐらいで支度できるから、手を洗ってらっしゃい」

その十分のあいだに飢え死にしてしまうといけないので、僕はテーブルの上の籠から林《りん》檎《ご》をひとつとった。

「もう小学生じゃないんだから、いちいちそんなこと言わないでよ」

「あらそう。失礼しましたわ」

軽快な包丁の音が始まる。カバンを肩に、林檎をかじりながら台所を出ていきしなに、僕は言った。「ねえ、さっき島崎のとこで、澤村さんの写真を見たよ。雑誌に載ってたんだ」

包丁の音が、ぴたりと止まった。そのままの姿勢で、母さんは言った。

「あら、そう」

「母さんは見てないの？」

「うん。そんな雑誌が出てるの？」

「そう。どこかから掘りだしてきた写真らしいよ。グラビアになっててさ」

「大げさねえ」

林檎を嚙《か》みながら、僕は笑った。「でも、びっくりしたよ。ちょっとカッコいい人だったんだね」

「そうだったかしらね。もう忘れちゃった」

また包丁が動きだし、コンロの上でお鍋《なべ》がふいて、母さんは素早く蓋《ふた》を開けた。僕は廊下を歩きながら林檎を食べ、自分の部屋のドアを開けようとしたところで、足を止めた。

廊下の隅に、父さんが日曜大工で作った三角棚があって、そのいちばん下の段には、古新聞が積んである。母さんは几帳面《きちょうめん》なので、そこはいつもきちんと整えられているのに、どういうわけか今は、山が崩れていた。

僕は身をかがめ、崩れた古新聞の山をちょっと持ちあげてみた。そこには雑誌が一冊押し込んであった。

島崎のところで見た、あの写真雑誌だった。あのグラビアの。

(なんだ、母さんも見てたんじゃないの)

台所へ引き返し、そう口に出して言うことが、どうしてもできなかった。してはいけないような気もした。どうして隠したの？　どうして知らないふりをしたの？　母さんが興味を持って当然のことなのに、なんでこんなことするのさ？

そう質問するべきなのに、できなかった。僕は、できなかった。

だけど、まもなく帰ってきた父さんは、それをした。

結論から先に言えば、その晩、僕らは母さんが用意した夕食を食べなかった。帰宅するなり、父さんがまっすぐ冷蔵庫に歩み寄って、缶ビールを取り出し、一息にそれを半分ほどあおるなり、

「話がある」と切りだしたことで、平和な夕食がどっかへ飛んでいってしまったのだ。

僕はテレビの前のソファにいた。母さんはテーブルについて、新聞を読んでいた。父さんはそのテーブルのそばに立ちはだかり、缶ビールをわしづかみにしていた。

「やぶからぼうに、なんですか」

父さんの第一声よりも、母さんのその声の方が、僕にはどきりとするものだった。

「なんの話だかわかってるはずだがな」父さんは言って、椅子《いす》を引き寄せると、どすんと腰をおろした。「一度きちんとしておいた方がいいと、今日、三宅所長にはっきり言われたんだよ。わざわざ呼び付けやがって——部下の前で恥をかかされた」

三宅所長というのは、父さんの上司で、父さんと母さんの仲人をした人だ。僕も、年に一度お正月には、この人と奥さんにあいさつをする。いつもお年玉をはずんでくれる、気前のいい人で、僕は毎年、会うのを楽しみにしていた。

もっとも、お目当てはお年玉だけじゃない。もっと大きなものがある。三宅所長はスポーツ射撃を趣味にしていて、競技用の銃を持っているのだ。初めてその話を聞いたとき、僕はもうワクワクしてしまって、おとなしく口をつぐんでいられなくなってしまったもの

だから、次から次へと色々な質問を投げた。父さんと母さんには（コラ、いい加減にしなさい）という顔をされたけど、三宅所長は上機嫌で、大きな大会に出場したときのことか、アラスカへ行ってライフルを撃ったときの話とか、たくさんしてくれた。それだけじゃなく、散弾銃やその装弾の実物を見せてくれて、僕の手に持たせてもくれたんだ。すっごく重たくて、驚いた。所長さんが記念写真を撮ってくれるあいだ、そのほんの一分足らずのあいだでさえ、両手で支えていることが難しいくらいだったのだ。

「大人になったら、ライセンスをとるといい。そうしたら、私が一から全部教えてあげるよ」

そんなふうに言われて、僕は本当にうれしかった。

だから僕の目には、三宅所長は「男らしい男」の見本みたいな人だった。その人が、会社の机の前に父さんを呼び付けて、父さんに恥をかかせたって？

いったい、どんな恥を？

もう一度ビールをあおると、空いた缶を投げ出すようにテーブルに置いて、父さんは低く訊《き》いた。

「聡子、おまえと澤村って男はどういう関係だったんだ？」

ひやりとするような沈黙ののち、母さんがゆっくりと言った。「聞こえないわね」

「なんだと？」

「聞こえなかったと言ったの。どうしてもっと大声で訊かないんですよ。大きな声で、はっきり訊いてちょうだい」

顎《あご》を引いて母さんをにらみつけてから、父さんは言った。「でかい態度だ」

「そういう言い方はないでしょう。あなたのほうがよっぽど乱暴よ。帰ってくるなりなんですか」

「ずっと我慢してたんだ！」父さんがいきなり声を張り上げた。語尾が割れていた。僕は久しく、こんなふうに怒鳴られたことがない。四年生の春に、母さんに内緒で電車に乗って、友達と二人だけで上野公園へ遊びに行ったとき、こんな声で怒鳴られたことがあったきりだ。あの時も凄《すご》かった。僕を探していた交番のお巡りさんまでが、「まあまあ」と止めに入ってくれたくらいだった。

でも、あの時の父さんは、今のように背中を丸めてはいなかった。上目遣いをしてもいなかった。

こんなに惨めそうな顔をしてはいなかった――

「最初っから疑ってたさ。赤の他人が、五億の大金をぽんと残してくれるなんて、そんな馬鹿な話があるもんか。だけどな、俺《おれ》だって――俺はおまえから――いや、そんなことがあるわけないって……だから我慢してたんじゃないか」

「我慢する必要なんかなかったじゃないの」母さんは強ばった顔で言った。「今みたいに訊いてくれれば、あたしは答えましたよ。何度だって答えたわよ。あたしと澤村さんは、なんの特別な関係でもありませんでした。あたしがあの人と知り合ったときのことは、ちゃんと説明したでしょう」

父さんは、歯の間でなにかを嚙《か》みつぶしているような顔で、嫌な笑い方をした。「あんな作り話を信じられるもんか」

「作り話？　デタラメだっていうんですか」

「当たり前だ。あの程度のことに恩を感じて、二十年もたってからおまえに全財産を残すなんてことがあるわけがない」

「だけど本当のことなのよ」

「嘘《うそ》つけ！」

「じゃ、どうしろっていうんですか」

「父さん……」

僕が割り込むと、父さんはこっちを見もしないで怒鳴った。「子供は口を挟むな！」

「雅男に怒鳴らないで！」今や、母さんの声も震えていた。「子供の前で恥ずかしくないんですか？」

「やめてよ。怒鳴りあったって何にもならないじゃないか！」クッションを投げ出して、僕は二人のあいだに割り込んだ。「なに喚《わめ》いてんだよ。冷静になってよ」

「雅男、おまえは部屋にいなさい」父さんが僕を廊下のほうへと押しやった。僕はよろめいて壁にぶつかったけれど、それで引き下がるつもりはなかった。

「ヤダよ。こんなときばっかり子供扱いしないでほしいね」

「なんだと――」

「情けない人ね」奥歯を噛みしめているのか、こめかみの辺りをぴくぴくさせながら、母さんが言った。「今までずっと疑ってた。それなのに我慢してた。口に出す勇気がなかったから我慢してた。あたしだって、それぐらいわかってたわよ」

僕はびっくりして母さんを見た。母さんは両手のこぶしを握り締めていた。

「だからずっと待ってたのよ。あなたが正面切って訊いてくれるのを。訊いてくれたら、きっぱり答えるつもりで待ってたのよ。それなのにあなたときたら、こんな情けない訊き方しかできないんですか」

「こんなこと、どう尋ねたって同じだろう。答えが同じなんだから」

「同じじゃないわよ。誰がそんなことを言ってるの？　あなたはどう思ってるの。あたしはあなたの考えを聞きたいの。会社で知恵を付けられてきたことなんか、しゃべってほしくないわよ！」

「聡子、おまえ――」

「あたしは正直に話してるのに、それを信じてくれないんじゃどうしようもないわよ！」

「おまえに俺の気持ちがわかってたまるか！」父さんが椅子《いす》を蹴飛《けと》ばし、倒れた椅子が植木の鉢をまきぞえにして、派手な破壊音をたてた。「おまえに俺の気持ちがわかるか？毎日会社で、薄ら笑いを浮かべた連中にうしろ指さされて、馬鹿にされてるんだぞ。知らぬは亭主ばかりなりってな。挙げ句に遺産をごっそりもらって、うらやましいですなあ、なんて言われてな。世間の連中はみんな、おまえが澤村って男の何だったのか、とっくに知ってるよ！」

「知ってる？ どう知ってるのよ。他人に何がわかるのよ」

「常識で考えれば、誰にだってわかる」

「常識がなんですよ。あなたはあたしの言うことを聞いてくれないの？」

「俺はそれほどお人好しじゃない」

信じられない展開だった。

「父さん……そんなふうに考えてたの？」

やっとそう言えた。父さんは僕を見ようとしてくれない。目をそらしていた。

「母さんが澤村さんの愛人で、だからあの人は母さんに遺産を残したんだって……そんなふうに思ってるの？」

父さんは答えてくれなかった。身体がうしろに引けていた。間違っても、僕や母さんに触りたくないという姿勢のように見えた。

「それが世間の常識なんだって、雅男」うつむいて、母さんがつぶやいた。「だからお父さんは、そっちのほうを信じるんだって」

僕は足から力が抜け、床に座り込んでしまいそうになった。

これまでの数日間、両親が家のなかで繰り返してきた小さな衝突の底に流れていたものが何だったのか、ようやく、僕は理解した。

こういうことだったのか……母さんの昔話を信じて、疑うことを知らなかったのは、僕だけだったのか。

「じゃ、あたしがお金を受け取らなかったら？　それならどうなの？」

父さんはまた、きしむような笑い声をたてた。「それだって、澤村がおまえに金を残したって事実は変わらない。金をもらおうが辞退しようが、俺が馬鹿にされてるって点では同じだよ。問題はそんなことじゃないんだ」

「じゃ、どうすればいいんですよ……」

「もう、限界だ」のろのろと動いて、僕たちから身体をそむけながら、父さんが言った。「俺はもう我慢できないよ。会社じゃ、パートのおばさんからアルバイトの学生まで、寄ると触るとこの話だ。今日だって、あんな雑誌を持ち込んできて——」

では、父さんもあの雑誌を見たんだ。

「今日、所長に何を言われたんです？」詰問調ではなく、疲れた口調で、母さんが訊いた。

「部下の皆さんがいる前で、いったい何を言われたんですか」

かなり長い沈黙のあいだ、テレビだけがしゃべっていた。僕は野球中継を観ていたのだ。巨人・ヤクルト戦で、桑田が投げていた。

――カウントはワンストライク、ツーボール。ごらんのように内野陣は極端なバントシフトをしいています。谷沢さん、いかがでしょう、ここは――

アナウンサーの声にかぶって、父さんの声が聞こえた。

「雅男が俺《おれ》の子供であるかどうかも疑わしいんじゃないかって――」

そこで父さんの言葉が途切れたのは、どうやら僕がなにか口走ったためであるらしい。いったい何を言ったのか、覚えていないのだけれど。

母さんが、ゆっくりと手で顔を覆った。

「あの弁護士に聞いたよ……澤村って男の血液型も、俺と同じA型なんだそうだな。正式な鑑定にでもかけなきゃ、確かなことはわからないってわけだ……」

「雅男の前でそんなことを言わないで!」

「誰のせいでこんなことになってるんだ!」

今度こそ、僕はぺたりと座り込んだ。

「俺は出ていく」小さな声で、ほとんど壁に話しかけるようにして、父さんが言った。

「荷物をまとめて出ていくよ。おまえらだって、その方がいいだろう。暮らしに困るわけじゃないんだし」

「出ていって……どうするんです」

顔を伏せたままの母さんの問いに、父さんは答えなかった。ゆるゆると足を引きずって、奥の部屋のほうへと向かった。本当に荷物をまとめるのだ。

「あの女のところへ行くんですか」

顔をあげて、母さんがそう訊いた。泣いてはいなかったけれど、この数分間のあいだに、徹夜明けのようにくたびれた顔になってしまっていた。

「言ったでしょう。あなたが浮気してるってこと、あたしは知ってたのよ」

廊下の途中で足を止め、父さんが振り向いた。「だから、あいこというわけだ。ちょうどいいじゃないか」

父さんがドアを開け、部屋に入った。姿が見えなくなった。十分ほどたって戻ってきたときには、いつも出張のときに持っていく、黒いボストンバッグをさげていた。

そして、本当にうちを出ていってしまった。

「ごめんね」

テーブルの上に顔を伏せてしまった母さんが、小さい声でそう謝ったことは、覚えている。

「ごめんね。少し……待ってね。母さん、ちょっと考えて……あんたにわかるように話してあげるから」

だから僕は、そうっとうちを離れた。外廊下へ出ると、隣の正岡さんのおばさんが、ドアの隙間《すきま》から顔をのぞかせていた。

僕は足を止めた。口が震えて何も言えなかったけれど、慰めの言葉を期待していた。するとおばさんは、あわてたようにドアを閉めてしまった。

気が付いたら、夜道を歩いて、島崎のうちの近くへきていた。玄関からは入りたくない。島崎のお父さんとお母さんに、この顔を見られたくない。大人には、見られたくない。だから僕は塀をよじのぼり、物干しにあがって、そこから二階の彼の部屋をめざした。彼の忠告を思い出したのは、ハシゴの三段目を踏みぬいてしまったときだった。僕はどすんと落下して、島崎の部屋の畳のうえに、彼の机のすぐそばへと着地した。

島崎は回転椅子に座って、生真面目《きまじめ》な顔をしていた。

「おまえんちのおじさん、ぶっつんした?」

僕は黙ってうなずいた。初めて涙がにじんできた。

## 6

少し落ち着きを取り戻してくれた母さんと、ゆっくり話をすることができたのは、翌日のことだった。

と言っても、長話をしたわけではない。そんな必要はなかった。母さんは僕に、こう言い聞かせただけだったから。

「今後、お父さんとお母さんのあいだがどうなるか、どうするか、今はまだわからない。しばらくは静観するしかないと思うの。母さんもまだ、あれこれ考える気力がないし。でも、どういうことになるにせよ、全部雅男に相談して、雅男の気持ちをいちばん大切にして、決めていくからね」

話しながら、また目を潤ませていた。

「お父さんがあんなことを言ったのは、気持ちが乱れてたせいだからね。怒ってもいいし、あんたは当然怒るべきだけど、許してあげて。雅男、あなたはね、たしかにお父さんとお母さんの子供よ。お母さんと澤村さんは何でもなかった。澤村さんとの関わりは、母さんが説明したとおりの、あれだけのこと。信じてちょうだい」

この厳粛な誓いを前にしては、「はい」と返事をするしかない。それに、こんなとき、「嘘《うそ》だ、じゃ、なんで父さんは出ていっちゃったんだよ」とか叫んじゃったりして、「母さんの馬鹿！」とわめいて子供部屋に閉じこもり、膝《ひざ》を抱えて泣く、ということをするほど、僕は子供じゃないのだ――

なんて言うと、カッコいいけどね。本当はそうしたかったし、僕一人きりだったら、きっとそうしていただろう。だけどあいにく、僕には参謀がついていた。言わずと知れた、島崎が。彼は昨夜、物干しのハシゴを踏みぬいて訪問した僕に、こう言ったのだ。

「気持ちはわかる。でも、騒ぎたてるなよ。これでグレるなんてもってのほかだぜ。冷静に、感情を抑えて行動するんだ。なんたって、今、おまえのうちでそれができるのは、おまえだけなんだからな」

だから僕は、母さんの誓いを受け入れた。

「うん、わかったよ。信じる」

つっぱらかっていた母さんの肩から、それで力が抜けた。

「ねえ母さん、結局、お金はどうするの？　受け取らないの？」

母さんは、フライパンに入れた炒《いた》め油が熱くなるのを待つあいだぐらい、口をつぐんで考えていた。それから答えた。「母さんは、受け取ろうと思うわ」

「それが澤村さんの遺志だから？」

「さあ……正直言って、母さんには、あの人の考えはわからない。わからないけど、ここはね、お金をもらったというより、むしろ〝任された〟というふうに考えようと思って」

「ふむ」

「だから、全額自分たちのために使うつもりはないわよ。澤村さんも、昔のいきさつからして、母さんならそういう使い方をしてくれると思ってた——そう解釈したいの」

「そう……そういうことなら、わかった」と、僕は笑ってみせた。「それにね、母さん。僕は思うんだけど、どっちみち、たとえ遺贈を断るとしても、うちとしては、経費や迷惑料をもらう権利はあるもんね」

実際、脅迫電話や、しつこい寄付の要請に——圧倒的に、新興宗教団体が多かった。しかも〝お布施しないと呪《のろ》われる〟みたいなことを言ってくるのね。彼らが信仰してるのは、えらくガメツイ神様なんだな——悩まされたことに対してだけでも、慰謝料をもらえそうなものだった。

妙な手紙もいっぱいきた。「うちが貧乏なのは、おまえたちのような狡《ずる》い人間が、世の中の富を不当に独り占めしているからだ。申し訳ないと思ったら、三日以内に一億円をこの口座に振込め」なんて、もう失笑するしかないようなものを筆頭に、脅し、泣き落とし、懇願、愛想笑い、お追従……これを全部集めたら、いわゆる「美しい手紙　例文集」の、裏バージョンができあがるだろうと思ったくらいだ。

そのなかで、一通だけ、こちらの心に触れたものがある。二年前にジャンボ宝くじを当てて、そのために人生が変わってしまったと書き綴《つづ》ってある手紙だった。自己紹介では、元は中堅どころの食品会社の管理職だったと書いてあり、書き慣れた感じの男文字には、それを裏付けるような雰囲気があった。

「金というものは、人間の本性を試す〝踏絵〟であります」

と、手紙の主は書いていた。

「小生は、これという趣味もなく、ただ宝くじを買うことだけを楽しみにしていた一介のサラリーマンでありました。それはもう純然たる楽しみで、大金を当てることを目標としていたわけではありません。しかし、いざ一億円という賞金を手に入れてみると、その金を支点に、世界が九〇度ほど歪《ゆが》んで見えることに気がつきました。これが、一八〇度がらりと変わってくれたのなら、まだ辛抱もできたのですが」

この人、結局は会社を辞め、ローンで買ったマイホームも手放して、奥さんの実家のある地方都市へ引っ越し、今はそこで家業を手伝っているのだそうだ。

「この社会は、純然たる〝幸運〟を許してくれるほど、度量が広くないのでありましょう。だから、なんとかしてその幸運を目減りさせようと、マイナスの圧力をかけてくるのです。ここは、ただじっと忍んでくださいと申し上げ、貴殿のご一家が無事この嵐《あらし》を切り抜けられるよう、念じるばかりです」

手紙と一緒に、小さな地方出版社の広告チラシと、注文書が同封されていた。どうやらこの人、この体験を綴った本を出したらしい。ややや……と苦笑しながら、でも、この気持ちもわからないじゃないなと思った。

こうして、毎日毎日、普通の家庭の郵便受けのキャパシティを超えた量の文書が、一度に到来する。困った郵便屋さんが管理人さんに預ける。それが繰り返されると、管理人さんも怒ってしまって、管理費を割り増ししてもらうと言い出した。こちらとしても、迷惑をかけていることは事実なので、お支払いもし、お詫《わ》びもしたけれど、気持ち良くはなかった。とりわけ、「もっとはずんでもいいのに、他人の迷惑を考えない、ガメツイ一家だ」なんて、大声で言い触らされちゃね。

そんな次第で、たとえ母さんが遺贈を断ると言い出しても、この種の迷惑料ぐらいはもらいなさいと、僕は勧めるつもりでいたのだった。父さんが家出してしまった今となっては、なおさらのことだ。

「それなんだけど……ねえ、雅男。しばらくどこかへ引っ越さない？」と、母さんは言い出した。「ここじゃもう、普通の生活はできないでしょう。前川先生にも勧められてるの。危険を避けるためにも、しばらくどこかへ身を隠したほうがいいって」

前川先生の言う〝危険〟とは、強盗なんかのことだろう。僕はうなずいた。「いいよ。もうすぐ夏休みだしね。しばらく他所《よそ》に移ってれば、少しは熱も冷めるんじゃない？」

母さんは淋《さび》しく笑った。「そうだといいね。あんたが転校しなきゃならないような羽目になったら困るもの」

「そりゃ、大丈夫だよ」

僕には島崎がついているからね……と、内心で思った。

「引っ越すことは、前から考えてたんだけど、父さんが出てしまったことで、余計にその必要が出てきたの。不愉快だろうけど、近所の人に何を言われても、とりあっちゃ駄目――」

言いかけて、母さんは言葉を切った。片手をあげて、僕に（ちょっと待って）という仕草をした。

そして、押し殺した声で言った。「玄関に誰かいるわ……」

僕はそうっと椅子《いす》を滑り降り、壁をつたって移動した。リビングのドアの陰から片目をのぞかせてみると、なるほど、玄関のドアが十センチほど開いて、その隙間《すきま》に人影が見える。僕は深く深呼吸して、腹の底から声を出した。

「どなたですか！」

マンション中に響きわたるような音をたてて、ドアが閉じた。僕と母さんは走っていってドアを開け、通路へと首を出した。ちょうど、同じ階のはずれで、一枚のドアが閉まるところだった。あわてたために、何かがドアにはさまっている。遠目ではあるけれど、色合いからして、どうやらエプロンの端っこであるようだと見た――途端にまた、ドアがあたふたと開閉して、それも引っ込んだ。

僕と母さんは、ため息をつきあった。

「ここの人たち、みんな、お父さんが出ていったことも、その理由も知ってるの」と、母さんは小声で言った。「監視されてて、なんでも筒抜けなのかしら」

「考えたくないけど」僕は、昨夜見かけた、隣の正岡さんのおばさんの顔を思い出した。

「正岡さんが、コップを壁につけて聞き耳たてたてたりしてね」

ちょうどその時、壁をへだてたお隣の部屋で、何かがどすんと引っ繰り返るような音が響いた。それを追いかけるようにして、ガラス製品の割れる、小さな音も。

どうやら、ズバリだったらしい。僕と母さんは顔を見合わせた。

僕たちは、気のいいお隣さんを、完全に失ってしまったのだ。

「とにかく、引っ越そうよ」と、僕は言った。

# 7

「歩きながら話そう」そう言いながら、僕は自転車から降りた。

僕と島崎は二人で自転車を飛ばし、臨海公園までやってきていた。ときどき、海が見たくなるとやってくる場所だ。でも、今日はちょっと特別だった。

「うちやおまえんちでしゃべってると、誰かに聞かれる心配があるからさ」

ポケットに手をつっこんでブラブラ歩きながら、僕は言った。今日は七月十六日。僕たちはまだだけれど、高校や大学はもう夏休みに入っているらしく、平日なのに、結構な人出だ。若いカップルが多い。

「なるほど」強い海風に顔をしかめながら、島崎はうなずく。「おばさんと話したか?」

「したよ」

「なんて言ってた？」

僕はちょっと笑った。「母さんを信じなさいって」

「そうか」島崎は感慨深そうに言った。「血液型の件も、確認したのか？」

「うん。間違いないよ。父さんも澤村さんも、同じA型さ。だから、それだけじゃ肯定も否定もできない。これが正式に裁判なんかになって、鑑定にかければ、かなりの確率で答えが出せるそうだけど、それにはすごく時間がかかる」

それらのことは、前川先生に教えてもらった。電話をかけて尋ねると、意図はすぐに通じたようで、先生は丁寧に説明してくれたのだ。そして最後に、申し訳なさそうな声で、「昨日、君のお父さんからも、まったく同じ問い合わせがあったんだよ」と言った。

この会話で、僕は前川先生を見直した思いだった。先生は、「そんなことは、子供の君が気にすることじゃない」なんて言って、ごまかしたりしなかったから。こういう大人は、案外少ない。m&m'Sチョコレート一袋のなかに、緑色のチョコがちょっぴりしか入っていないのと同じようなものだ。

少し無言で歩き、東京湾とは思えない碧《みどり》色の海を眺めてから、島崎は訊《き》いた。「で、これからどうする？」

僕は、右手に見える水族園のドームを指差した。「まずは、あそこへ行こう。たまには中をのぞいてみようよ」

だだっ広くて、わかりにくいところにある入り口にたどり着き、入園料を払って中に入るまで、僕らは黙って肩を並べていた。にぎやかにしゃべり、笑い声をたてながら、高校生ぐらいの男女のグループが、僕らを追い抜いていった。

「わあ、でかいな」

入ってすぐのロビーに、マグロの回遊するさまがそのまま見られるという、この水族園売り物の大きな円形の水槽がある。銀色の、巨大な弾丸のようなマグロが、視界を右から左へ横切って、次々と現われては消える。しばらくそれをながめてから、僕はゆっくりと言った。

「なあ、手伝ってくれないかな」

「何を?」

「調べたいんだ。冷静でいるために。じっとしてると、やたらにいろんなことを考えちゃって、誰かに当たり散らしたくなっちゃうからさ。そんなの、エネルギーの無駄使いだからね」

ショックなことは多かった。父さんのあの言葉。男の中の男だと、僕がずっと尊敬してきた三宅所長が、母さんへの疑いを口にして、父さんをたきつけたのだということ――

でも、それに足をとられてはいられない。

マグロが十四ほど行きすぎるあいだ、島崎は無言だった。やがて眼鏡をはずすと、ポケットからハンカチを取出し、ていねいにレンズを拭《ふ》いて、またしまいこんだ。そして眼鏡をかけないままの、急に子供っぽく見える顔を僕に向けて、

「それはつまり、おまえんちのおばさんの言ってることが本当かどうか調べるってことか?」

「うん」

「おじさんの疑惑をはらすために?」

「それもあるけど……ううん、自分のためだな」

ほかの誰よりも、僕に関係のあることなのだ。僕の出生に。一生のあいだに、〝出生〟なんて言葉と関わりを持つ時が来るなんて、夢にも思ったことはなかったけれど、降りかかってきた火の粉ははらわねばならない。

「おばさんを信じてあげないのかよ。自分のためだっていうなら、それがいちばんじゃないか。母親だぞ」と、島崎は言った。

「信じてるよ。信じたいと思うし」

「じゃ……」

「でもさ、自分にかかった疑いは、やっぱり自分ではらすべきだと思うんだ。これから先、ひょっとしたら本当に裁判になって、鑑定にかけられるようなことがあるかもしれない。

それはそれでしょうがないけど、僕はものみたいに扱われるのは御免だ。遺伝の実験に使われるエンドウマメじゃないんだから」

ほかの誰より先に、自分で答えをつかみたい。それが不可能でも、せめてその努力はしたいと思った。

「こんなとき、ただ子供だっていうだけで、座り込んでメソメソ泣いて、〝お願いだから僕を傷つけないで〟なんて言って、悲しんでる権利はないんだよ。受け身でいちゃダメさ。そう思わない？」

島崎はまだ無言でマグロを見つめている。僕は彼の横顔を見つめて待った。

やがて、ゆっくりと眼鏡をかけると、島崎は僕の方へ向き直った。

「友よ」と、にやっと笑った。「よくぞ決心した」

僕も一緒に笑った。「手伝ってくれるね？」

調査にとりかかるためには、基本的な疑問点を整理しておかなきゃいけない。やみくもに動き回ったって、ブタをつかむだけだ。

「まず、ごく客観的に見て、どう思う？　澤村さんは、なぜ母さんに財産を残したんだろう」

鮮やかな熱帯魚の水槽の前で足を止め、僕は切りだした。間接照明のフロアのなかでは、ここがいちばん見物人の少ない水槽だった。きれいではあるけれど、近ごろは、こういう熱帯魚なら、ちょっとした喫茶店なんかでも見ることができるからだろう。

「ズケズケ言っていいか？」

「いいともさ」

眼鏡のふちをちょっと押し上げて、島崎は言った。水槽の方に、生真面目《きまじめ》な顔を向けたままだ。

「最初に遺贈の話を聞いたときから、オレは〝もしかすると〟と思ってたんだ」

「ということは――」

「うん。おまえんちのおじさんや、会社の人たちが言うようにさ。おばさんと澤村氏が深い仲だったことがあって、おまえは彼の子供である可能性がある、とね」

「深い仲」僕は呟《つぶや》いた。「含蓄のある言葉だなあ」

「そう、深い――深いところに棲《す》んでるんだろうなあこの魚は」

島崎がいきなり話題を変えたので、僕は振り向いた。それで、ははんと思った。すぐそばで、開襟シャツを着た気難しそうなおじさんが、僕らをじろじろ眺めているのだ。今のやりとりを聞かれてしまったらしい。

「うん、そうだね、きっと深いところを泳いでるんだよ」

僕が調子をあわせて言うと、おじさんは怪訝《けげん》そうな顔のまま、振り返り振り返り去っていった。

「ここにもラッコがいるといいのにね！」

島崎はわざとらしくも可愛《かわい》らしく声を張り上げてそう言うと、真顔に戻って僕のほうを向いた。「気を悪くしないでほしいんだけど、うちの親もそんな話をしてたことがある」

「ここにもラッコがいるといいねって？」

「バカ、そうじゃないよ。深い仲の話の方だ」

「わかってるよ」僕は笑った。「当然かな……」

「当然とは言わないよ。でも、その方が納得しやすいんだ。スッキリしてる。おばさんの語った昔話よりもな」

「それは認める。あんな昔話、やっぱり、普通には通用しないよね」

ところが、島崎はあわてて首を振った。「違うよ、そうじゃない。オレは、そこまで否定してるわけじゃないんだ。おまえんちのおばさんが話したようなことが実際にあって、澤村氏がそれに感謝して金を残すって筋書きは、決しておかしくはない」

「そうかしら」

「そうさ。ああいう――なんていうかな、ま、一匹狼か？　もう死語かもしれないけどさ。ああいう生き方をしてた男が、まったくの無償で自分を助けてくれた女の子のことを、ずっと覚えてたってちっともおかしくない。そっちは、充分あり得ることだ」

「じゃ、何があり得ないのさ?」

島崎は色白のおでこにしわを寄せ、難しい顔をつくった。

「もしも本当に、澤村氏──チェ、面倒だね。もう〝澤村さん〟でいいや。澤村さんが、本当におまえんちのおばさんに感謝して金を残そうとしてたのなら、こんな無造作な、無神経な方法をとるはずはなかったってことさ。考えてもみろよ。彼は、人一倍頭の切れる男だぜ。世間ずれもしてる。スレてるどころか、世間の方をスッて金を儲《もう》けてた人じゃないか。遺言で金を残したりしたら、残された方にどれだけの騒ぎを起こすか、充分に想像できたはずだ。しかも、おまえんちのおばさんの話によると、彼とおまえんちのおばさんは、二十年前に、ほんの二週間ばかりのあいだ縁があったきりなんだ。極端な場合、おまえんちのおばさん──クー! これも面倒臭いな。もう〝聡子さん〟でいいか?」

「うん、許す」

「よし。聡子さんがだな、彼のことを忘れてる場合だってあるわけだ。その場合、いったいどうするつもりだったんだろうね?」

水槽から水槽へ、ゆっくりと移動しながら、僕は島崎の意見をじっくりと吟味した。目の前に、ひらひらした衣をつけた真っ黄色の魚が浮かんで、口をパクパクさせている。

「わかるだろ? もし彼が、本当に感謝のしるしとして、二十年前の口約束を果たすために金を残したかったのなら、もっともっと、繊細で目配りのある方法をとったはずだ。どう間違っても、おかしな疑いを招かないようにな。彼は馬鹿じゃない。自分たちの昔話を、ただそれが真実であるというだけで、すべての人に信じてもらえるほど、世の中甘いもんじゃないということぐらい、ちゃんとわかっていたはずだ。めったにない真実よりは、よくある嘘《うそ》のほうが、ずっと生き残りやすいものだ——とね」

「うん……よくわかるよ」

「だったら、いろいろと予防のための手を打ってもよさそうなもんだ。それぐらいのハートのある男だったはずだし、遺言状をつくる余裕があったんだから、その時に、聡子さんと家族を呼び出して、彼の口から直接事情を説明して、感謝の言葉を述べて、金を受け取ってくれるかどうか打診することだってできたはずじゃないか。それなら、少なくとも、聡子さんの夫や子供に妙な疑いを抱かせ、誤解を招いて苦しめることにはならないはずだ。違うか？」

「違わない」と、僕は言った。黄色い魚がまた口をパクパクさせている。それさえも、「そうよ坊ちゃん、お友達の言うとおりよ」と言っているように見えた。

「それなのに、実際にはこんな傍迷惑《はためいわく》な方法をとってる。ちょっと驚かせてあげようと思ったんだよアハハ、じゃ済まないぜ。自分は死んじまってるからいいけどさ。残されたほうはたまったもんじゃない」

「下手すりゃ、父子鑑定までやるぞって話になってるんだもんな」

「そうだよ。おまえが澤村さんの隠し子――隠し子をするんだよ、この魚は。外敵から守るために、岩陰にタマゴを産むんだって。図鑑で読んだんだ」

またもや話題が激変して、振り向くと今度は〝健全そのもの〟という感じの親子連れがいた。二歳ぐらいの女の子を抱いた若いお父さんと、お腹のふっくらした若いお母さんが、揃《そろ》って目を見張って僕らを見ている。

「タマゴを隠すの？　面白いなあ。きみって物知りなんだなあ」

僕は感心したような声を出し、親子連れに笑いかけた。「ねえ、そう思いませんか？」

親子連れは、顔を見合わせながら去っていった。その後ろ姿に向かって、島崎が楽しげな声をあげた。「早くパンダイルカの水槽へ行こうよ」

僕は小声で言った。「ここにはパンダイルカはいないよ」

「ああ、疲れる」島崎はため息をついた。「密談の場所を間違えたな」

「でも、僕ら、二人で喫茶店に入るわけにはいかないんだし、マクドナルドじゃ、まわりがうるさくて話にならないよ」

「未成年て、不便だなあ。とにかく――えーと、どこまでいったっけ？」

「僕が澤村さんの隠し子――」

「そうそう、おまえが隠し子かもしれないなんて疑いを呼んでさ、ごめんなさいで済むことじゃないんだから」

次の水槽へ近寄ると、そこには何も入っていなかった。海草がゆれているだけだ。

「あれ、カラだ」

ちょっと離れて、つくづくと掲示板を見上げていた島崎が、「いや、いるよ」

「何が？」

「電気ウナギ」

でも、よく見ても水槽のなかはカラッポだ。僕は近寄ってガラスに両手と顔をくっつけた。

「どこに？」

「おまえの左手のところ」

掛け値なしに、僕は一メートルほどジャンプしてあとずさった。たしかに、手前の岩のあいだに、ぬるりんとした長いものが横たわっていた。近すぎてわからなかったのだ。

「ビビるなよ、ガラス越しだぜ。感電するわけじゃなし」

「長いものは嫌いなんだ。ウナギとか蛇とかゴカイとかミミズとか」

「あんまり好きな人はいないよ」島崎は言って、次の水槽へ進んだ。

「おまえの説明、よくわかったよ」ズボンで手をこすり、ウナギとの間接タッチの感触を払い落としながら、僕は言った。「つまり、決して馬鹿でも無神経でもない澤村さんが、こんな無造作なことをやったのは、何か意図があったからだということになるんだね？」

「ビンゴだ」

「では、その意図とは何か？」

僕たちはそのフロアを出て、階段をあがった。あがりきったところで、島崎が口を開いた。

「非常に穿《うが》った見方だけど、オレ、澤村さんは、死にぎわに自分を上場していったんじゃないかと思うよ」

「ジョージョー？」

「如雨露《じょうろ》で水まいてるんじゃないんだよ。上場、さ。株式を公開して公共の投資を募ること。辞書をひきたまえよ、きみ」

「それぐらい知ってるよ」

「じゃ、この喩《たと》えの意味もわかるだろ？」

今ひとつピンとこなかったので、僕は黙っていた。島崎はにっこりした。

「澤村さんは、聡子さんと聡子さんの息子が、自分という株をどれだけ買ってくれるか、試してみたかったんじゃないのかな」

「……どういうこと？」

島崎はゆっくり言った。「もう一度ズケズケ言っていいか？」

「いいよ」僕は覚悟を決め、お腹にぐっと力をこめた。おあつらえむきに、僕らは、忍耐強そうな亀の水槽の近くにきていた。

「これはオレの考えだから、そのつもりで聞いてくれよな。オレ、やっぱり、聡子さんは嘘をついてると思う」

「母さんが嘘を？」

「うん。澤村さんとのつながりは、例の昔話の一件だけのことじゃなかったと思うんだ」

　これまでの話から考えると、当然そういう結論が出るのだけれど、言葉ではっきりそう言われると、少し、どきんとした。

「聡子さんが、前川先生に会って、彼の名前を聞かされたときの反応から見ても、そうだ。二十年前にちょっと関わっただけの人のことを、すぐに思い出してる」

（あのかた、亡くなったんですか？）

「一時期、二人はやっぱり、個人的な関係にあったんじゃないかな。その点では、おまえんちのおじさんが考えてることは当たってるとも思うよ」

「その……一時期ってのは、どのくらいかわからないけど、少なくとも、澤村さんが、僕を自分の子供じゃないかって考えることができるような時期だってことは確かだね」

「そうだね。そう思う」島崎はちょっと首をかしげた。「二人が出会ったのは二十年前だろ？　聡子さんが十九歳のとき。で、おまえが生まれたのは聡子さんが二十六歳のときだから、出会いから七年後か」

「七年も付き合ってたのかな？」

「いや、そうとは限らない。その七年のうちのどこかで再会したのかもしれないし」

「どのみち、ある時期、母さんは二人の男と付き合ってたわけだ」

亀たちの水槽からは、生臭い匂《にお》いがしてくる。僕は鼻にしわを寄せた。本当は、ほかの理由でそうしたかったのを、亀のせいにしたのかもしれない。

「よくあることだよ」島崎は静かに言った。「人間て、杓子定規《しゃくしじょうぎ》に割り切れるものじゃないからさ。それに、結果的には、聡子さんはおまえのお父さんを選んだわけだろ？」

「父さんに訊《き》いてみなきゃ」

「何を？」

「昔、母さんと恋人同士だったころ、ライバルの存在を感じたことはなかったか、って」

「訊くのは易しいけど、答えてはくれないだろうな。とくに、今は」

僕がじっと水槽に目を据えていると、初めて、少しひるんだような口調になって、島崎は言った。「これは、オレが勝手に考えてることだよ。それを忘れるな」

「大丈夫だよ」僕は顔をあげて笑ってみせた。

「今、思い出したんだけどね。僕、勘定があわない赤ん坊だったんだ」

「なんだ、そりゃ？」

「おじいちゃんが教えてくれたんだ。父さんと母さんが結婚して、八ヵ月後に僕が生まれ

めて、笑った。でも、目は真剣だった。

島崎は、ちょっと口を開いたまま黙っていた。やがて、くちびるの端をきゅっとひきしめて、笑った。でも、目は真剣だった。

「聡子さんは澤村さんと付き合ってた。だけど、結果的には別れて、おまえのお父さん――緒方行雄さんと結婚した。で、おまえが生まれた。そのままずっと、十三年間がすぎてきた――」

その時、急に、目隠しをとられたかのように、僕にも島崎の考えていることが見えてきた。理解することができた。

心に浮かんだのは、たった一人で、生涯なんのしがらみも持たず、妻も子もなく、家もなく、自分のあとを継いでくれるもの、自分が生きていた証《あかし》をなにひとつ残さずに、まだ五十五歳で死んでいこうとしている男の顔だった。

そう、彼はまだ五十五歳だった。死の宣告は意外なことだったろう。そんな年齢で死んでゆくなんて、考えてもみなかったかもしれない。まだまだ、し残したことがあると思ったかもしれない。自分の人生はいったい何だったんだろうと、あらためて思い巡らせたかもしれない。自分は何のために生きていたのだろう？　自分が生きていたことを、誰が覚えていてくれるのだろう？

そして、病床でふと思い出す。十四年前に別れた女と、彼女が産んだ、ひょっとしたら自分の子供であったかもしれない赤ん坊のことを……

「証拠はない」と、島崎が穏やかな口調で言った。「それこそ、鑑定なんかしている時間もない。だから彼は、大博打《おおばくち》を打ったんだ。忘れちゃいけない。澤村直晃は相場師だったんだよ。死にぎわに、彼は自分を丸ごと賭《か》けていったんだ。ほかの誰でもない、聡子さんにね」

表が出るか、裏が出るか。

「それはすごく残酷で、身勝手なやり方だ。だけど、それだからこそ、彼はそうしたかったんじゃないのかな。ほかの人間はどうでもいい。聡子さんなら、そういうやり方が彼らしいと理解してくれるだろうから。第三者のために、詳しい事情など説明する必要はない。ただお金を残していけば、聡子さんにはわかるはずだ。そのうえで、彼女が金を受け取るか否か、受け取るとしても、どういう受け取り方をするか。彼が勝つか、聡子さんの十四年間が勝つか。彼はそういう勝負に出たんだよ。賭けられているのは彼自身で、五億円なんて金は、そのための、ただの方便さ」

僕は(澤村さんとはなんでもなかった。信じてちょうだい)と言ったときの、母さんの顔を思い出した。

(あんたはお父さんの子よ)

では、母さんは賭けにのらないつもりなんだろうか？　だけど、お金は受け取ると言っている。父さんは出ていってしまった。

駆け引きは、今始まったばかりなのだ。

思わず大声で叫んだとき、島崎が、とってつけたようにこう言うのが聞こえた。

「なんてヤツだ！」

「馬鹿だなあ、それはただのスッポンだよ」

驚いて我にかえると、亀の水槽のところに釘《くぎ》づけになっている僕らのそばに、女の人が一人立っているのだった。生臭い水の匂いをかわすようにして、その女《ひと》の香水が薫った。

「そうなの、坊や。変わった形の亀だけど、あれはスッポンなのね」そう言って、島崎のほうへ笑いかけた。「よく知ってること」

島崎は、必死のごまかし笑いを浮かべている。この女性、どの辺りから僕らの話を耳にしていたんだろうか。

「図鑑で見たんです」

「そう。スッポンは食べられるのよ。それも知ってる？」

「はい、知ってます。でも、残酷ですね」

「それを言い出したら、何も食べられないけれど……そうね、人間は残酷ね」

いくつぐらいだろう……四十五歳ぐらいにはなっているかもしれない。でも、とっても綺麗《きれい》な女性だった。ほっそりと優美で、シンプルな黒色のスーツがよく似合う。僕らに向かってにっこりほほえんでいるくちびるだけが、淡い紅色だった。

立ち衿《えり》の胸元に、大粒の真珠をはめこんだ涙の形のブローチがとめられている。僕がそれに見惚《みと》れていると、彼女は片手をあげて、ブローチに触れた。

「これ、気に入ったのかしら?」

「はい……」なかば夢心地で、僕はうなずいた。「素敵ですね」

「ありがとう」僕と島崎を公平に見回すと、「きみたち、ここにはよく来るの?」

「ときどきです」と、島崎が答えた。

「わたしは初めてなの。きれいなところね」

「まだ新しいから」

「不思議ね。動物園に行くと、いつも気がふさいでしまって……生きものを閉じこめるのは嫌いだから。でも、水族館だとそうでもないの。不公平だけど」

「水に棲《す》んでる生きものには、表情がないから」と、島崎がゆっくり言った。「動物園の動物たちみたいに、悲しそうな顔に見えないからじゃないですか」

その女《ひと》は、ふっと笑った。「そうかしら。でも、本当は泣いているのかもしれないわよ。ただ、涙が見えないだけで」

視線をあわせ、そろって言葉を探している僕たちの頭に、代わる代わる、その人はそっと手を置いた。そして言った。「じゃ、またね。坊やたち。きっとまた、ここで会えることもあるわね」
彼女が消えてしまったあとも、しばらくのあいだ、香水の薫りが残っていた。
島崎が、感嘆の面持ちでぽつりと言った。
「マダム・水族館《アクアリウム》だ」
(またここで会えるわね)
たしかに、その約束は果たされることになる。だけど、それはまだまだ、先のお話。

# ハーフタイム

誰かに、〝たかい、たかい〟をしてもらった記憶がある。

いくつぐらいの時だったのか、正確には覚えていない。うんと小さな時のことだろう。せいぜい三歳——いや、三歳というと、もうかなり体重があるから、二歳ぐらいまでのことだったんじゃないかと思う。

知っているでしょう、〝たかい、たかい〟という遊び。あれは、たいていの場合、男親の仕事だ。腕力があるから。

赤ん坊を、天井近くまで持ちあげて——ときには本当に放りあげて、あやす遊び。怖いのと嬉《うれ》しいのとで、子供はキャアキャア声をあげっぱなしだ。目を真ん丸に見開いて、手足を縮めて、上がったり下がったり、受けとめられてはまた放りあげられる。学問的な根拠なんかないけれど、僕は、高いところから落ちてゆく夢は——あの奇妙なほどのリアルさは、きっとどこかでこの遊びと結びついているに違いないと思う。

そのことを思い出したのは、母さんと引っ越しの支度をしているときだった。僕はベランダにいて、物置きの中から、とりあえず持ってゆく必要がありそうなものを物色していた。そして、ひょいと顔をあげたとき、二階下のマンションの中庭で、まだ一歳ぐらいの赤ちゃんを、高々ともちあげて笑わせている、若いお父さんの姿を見かけたのだ。

「そうら、たかいたかい！」

赤ちゃんがはしゃぐ声が、僕のところまで聞こえてくる。僕は釘《くぎ》づけになってそれを見つめた。赤ちゃんの笑い声が、頭の奥深くに眠っていた記憶を呼び起こす。心のなかを、はっきりした映像が、極彩色の突風のように通過する。

そう、確かにああいうことがあった。天井が近づいて、また遠ざかる。誰かの——大人の声がして、僕を放りあげ、受けとめる。誰か大人の、強い腕が。絶対に僕をおっことさず、必ず受けとめてくれる、確実な腕が。

魅せられたようになって見おろしているうちに、その赤ちゃんのお母さんらしい女性が走ってやってきて、「お待たせ」と言った。若い夫婦は赤ん坊をベビーカーに乗せると、肩を並べて中庭から出ていった。買物にでも行くのだろう。

（そら、たかいたかい）

ねえ、もっと高く、もう一回、もう一回、ねえ、お父さん。子供は怖さに半分べそをかきながら、みんなそう言ってせがむ。怖いくせに、でも楽しいから。お父さんは絶対に僕を落とさないと信じてるから。だからねえ、もう一度やってよお父さん。

お父さん。

だけど、僕の父さんは、〝たかい、たかい〟をしてくれたことがなかった。それはもう、はっきりとしている。本人がそう言ってたんだから。

「雅男」

不意に背後から呼ばれて、僕はハッと振返った。母さんだった。

「どうしたの、ぽかんとして」

母さんは、衣類がぎっしりつまったスーツケースを持ちあげようとして、「わあ、重いわね」と顔をしかめた。

「ねえ母さん」僕はあわてて訊《き》いた。「父さんが昔、ぎっくり腰で入院したの、いつだっけ？」

今度は母さんの方が驚いた顔になった。「なんでまた急にそんなことを訊くの？」

「今、思い出したんだ。そういうこと、あったよね？」

母さんは、手近にあったタオルで手と首筋をぬぐうと、うなずいた。

「あったわよ。だけど、あんたがまだ赤ちゃんのころだったわね」

「僕、何歳だった？」

「一歳ぐらいだったかしらねえ」

そう……そうだったよね……間違いないよね。

父さんは、もともと、若い頃から腰に持病をかかえていた。学生時代にスポーツで痛めたところを、放っておいたのが良くなかったらしい。二十五歳をこえたころから痛みが頻繁なものになり、三十歳で結婚した当時には、時折お医者に診てもらっていて、できるだけ早く本格的な治療を受けたほうがいいと勧められていたそうだ。

もちろん僕は、当時のことを知らない。話に聞いているだけだ。それに、現在の父さんからは、そんな病気の痕跡《こんせき》もうかがうことはできない。思い切って手術を受けたので、すっかり良くなっていて、重いものでも平気で持ちあげている。だからゴルフもできるというわけだ。

でも、腰痛に苦しんでいた当時は、笑い事じゃなかったようだ。結局は、三十二歳のとき、完全にぎっくり腰のような症状を起こして、病院に運ばれた。

その当時、僕は一歳……。

入院、手術、そのあとのリハビリと、半年以上かかったという。そして、完治してからも、一、二年は大事をとって、激しいスポーツもしなければ、重いものを持つことも避けていたと、話していたことがあった。お医者さんの話では、一日中座っていることの多いサラリーマンは、全員が〝腰痛患者予備軍〟なのだそうだ。つまり、〝座る〟という姿勢は、それだけで腰に負担をかけている。だから、さらに負担をかけるようなことは、厳に慎まなければならない。腰痛を抱えていたあの当時は、「箸《はし》より重いものを持ったことのないお嬢さんみたいな生活だった」と、ほかでもない、父さん自身が言っていたことがある。

じゃ、あのころ、僕を〝たかい、たかい〟してくれたのは、いったい誰だったのだろう?

父さんじゃない。手術の前は、そんなことのできる状態じゃなかったし、手術後は、できたとしてもやらなかったろう。

じゃ、誰だったんだ?

お祖父《じい》ちゃんや、伯父《おじ》さんや、近所の人かな? 父さんの友達? そうさ、いろんな可能性がある。でも――

「雅男ったら、どうしたの? おかしいね」

ふと気がつくと、母さんがこっちを見ていた。汗だくで、腰からタオルをさげている。カッコいいスタイルじゃないけど、顔は明るく輝いていた。

「忘れ物、ないかな」と、僕は言った。「なんか、旅行に行くような感じだね」

「そうね。家具はそのままだから……」

引っ越すといっても、すぐにはそう遠くへいけるものではない。まだまだこれからのことも考えねばならないし、片づけねばならないこともある。だから、僕と母さんは、とりあえず身のまわりのものだけを持って、都心のウイークリー・マンションへ移ることに決めたのだった。

五億円の遺贈を受けるための法律上の手続きは、無事に終了していた。お金はあるのだから——と、前川先生は、このひと夏、貸別荘を借りてすごすことを勧めてくれたのだけれど、母さんはそれに賛成しなかった。

「やっぱり、都会を出るのは不安で。それに、主人とのこともありますから……」

すると先生、今度は、ホテル級の設備を売り物にしているウイークリー・マンションを紹介してくれたというわけだ。そこの社長が前川先生の同窓生だとかで、保証金なしという、破格の扱いをしてくれた。

「あとあと、もっと高価《たか》い物件を買ってもらおうと思うから、いろいろサービスしてくれるはずです」と、先生は笑っていた。

都心と言ってもいい場所だけど、そういうところの方が、夜はかえって静かだったりするのには驚いた。これで、少しは落ち着けるかもしれないと思ったものだ。

五億円というお金のほうも、先生を通して紹介された銀行に、まとめて預けてあった。今はまだ、そちらに手をつける気はないと、母さんは言う。一生を左右することになるかもしれないお金だもの、と。僕も、その意見には賛成だった。

「——父さんの荷物はどうするの？」

ちょっと間をおいてから、母さんは答えた。

「ここに置きっぱなしにしておけば、そのうち取りにくるって」

ゆくゆく、本当に離婚ということになったら、ここは父さん母さん夫婦の財産のひとつになる。処分をきめるのは、それからだ。

このところ、さすがにマスコミは静かになってきていた。近所の人たちも、なんとなく〝遠まき〟という感じだ。しつこいのは脅迫電話や嫌がらせ電話、そして、預金や投資を迫る銀行や証券会社の面々、怪しげな不動産の売込み、新興宗教の勧誘――などなど、本当に未知の方向からくる攻撃ばかりだった。

そして、そちらのほうは尻上《しりあ》がりにひどくなっていた。真夜中に玄関のチャイムを鳴らしたり、郵便箱いっぱいに文書を投げ込んでいったり。でも、なんといってもいちばんひどいのが電話攻撃だ。深夜だろうと早朝だろうと、ひどいときには、十分おきに一晩中、無言電話をかけられたことさえあった。電話番号を変えても、変えても、しつこく調べあげて食いついてくる。まったく、見上げた執念だ。

転居したと知られるとまた追いかけられるので、ここの電話回線はつないだままにしておいた。ただし、ベルが鳴ると近所迷惑になるので、コードは引っこ抜いてしまった。

何度でもかけてこいよ。でも、誰も出ないようだ！

「これは持っていくの？」

そう言って僕が指差したのは、ベランダに置いてあったオシロイバナの鉢だった。大きな株に育って、ぽつりぽつりと黄色い花を咲かせている。

去年の秋の終わりごろだったろうか。母さんが、どこかから種を拾ってきて、植えてみたのだった。それまでは、植木には全然興味のない人で、ベランダにも風鈴をさげてあるだけだったのに、へえめずらしいなと思ったものだ。

「黄色い花が咲くんですって。白やピンクのオシロイバナは見たことがあるけど、黄色いのは変わってると思って、もらってきたの」

実際、今年になって花が咲き始めたのを見ると、黄色いのと、黄色い花びらに白いふの入っているものと、二種類あった。うちに遊びに来た島崎が、「きれいだね」とほめていたことがある。

オシロイバナは強い植物で、放っておくとどんどん増えてしまう。今も、植木鉢からあふれそうなほどだ。

「持っていかないと、可哀相《かわいそう》でしょう。水をあげないと、枯れちゃうものねえ」

「じゃ、持ちやすいように紐《ひも》をかけようか」

「気をつけてね。落として割れちゃうともったいないから」

母さんはそう言って、僕の頭をタオルでふいた。

「汗びっしょりね。ねえ、おなかがすいたんじゃない？　出る前に、何かつくってあげようか」

「そうか。冷蔵庫も空にしないといけないんだね」

「そう！　そうなのよねえ。うっかりしてたわ」

母さんは素麺《そうめん》をゆで、残っていたタマゴ六個をつかって大きなオムレツを焼いた。

「『ひまわり』っていう、昔の映画があるんだけど」

オムレツをつつきながら、そう言った。

「そのなかでね、新婚の夫婦が、十個――もっとだったかなあ――とにかくたくさんのタマゴを割って、すっごい大きなオムレツをつくるシーンがあったのよ。悲しいストーリーの映画なんだけど、そこだけは面白かった。思い出しちゃった」

「ビデオ出てるかな」

「出てるんじゃない？　いい映画だったから、あんたも観てみるといいわ」

「うん」と、うなずきながら、僕はそっと、ひとつの質問を飲み込んだ。

母さん、その映画――

誰と観たの？

# 後半戦

## 1

待望の夏休みを迎えたその日から、僕と島崎は調査にとりかかった。

中学生の夏休みというのは、結構忙しい。僕にはサッカー部員としての、島崎には、なんと将棋部員としての活動スケジュールが詰まっている。どちらも大事な予定だ。僕も島崎も、八月の第一週から始まる集中強化練習と、二十日からの合宿には必ず参加しますと確約したうえで、やっと休みをとることを許してもらえた。

まあちょっと言いにくいことを白状すると、僕は一介の球拾い要員だし、五億円騒動の後遺症もあるということで、先生も比較的あっさりと許可をくれた。大変だったのは島崎の方だ。彼は一年坊主のくせに顧問の先生ともタメに勝負できるというくらい強くって、秋の大会のエースとして期待されちゃっているという立場にいるヒトなのである。

島崎は、なぜ部活を休むのかという理由については、誰にも話さなかったらしい。それは有り難かった。だって、僕が個人的な調査活動のために、彼らの希望の星・若きエースを駆りだしたのだということがバレたら、将棋部の部員たちは、僕を放ってはおかないだろうから。将棋部長は、柔道部にも入っているというマルチな強者《つわもの》の三年生だから、僕をとっつかまえて、「振り飛車投げ」とか「と金がため」とかの技をかけるかもしれない。

「なんて言って休みをもらったの?」と尋ねると、島崎はチャラッとした顔で、

「山ごもりの修業をすると言ったんだ」なんて答えたけどね。

さて、こうして束の間の自由時間を勝ち得た僕らは、頭を突き合わせて調査の計画を練った。まず、めざすは「いさか荘」だ。これは島崎の発案だった。

「もしオレたちの考えが正しいなら、聡子さんの過去をさかのぼって調べていけば、どこかで必ず、澤村さんの影がさしてるはずだよ。まるっきり何もないなんてことはありえない」

夏は真っ盛り、日陰に入っても汗がひかない。日盛りの町を、僕と島崎は地図を頼りに歩き回った。番地こそ変わっていないけれど、江戸川や荒川の周辺は、最近になって急に再開発が進み、古いしもたやが取り壊されて、マンションや緑地、ビジネスビルが増えている。町の雰囲気も、二十年前のころとは全然違ってしまっていることだろう。

案の定、いさか荘のあった所番地を訪ねた僕たちを出迎えたのは、円形のルーフバルコニーも小粋な、白壁の五階建てマンションだった。「バンダムール江戸川」という。

年配の管理人さんに尋ねてみると、ここは分譲型のマンションで、売り主は僕らもよく知っている大きな不動産会社だとわかった。

「元の地主さんは、ここには住んでないんですか？」

「等価交換じゃなかったからねえ。君たち、そんなこと訊いて、どうするんだい？」

「夏休みの自由研究で――」と、僕は答えた。あらかじめ、島崎と二人で考えておいた口実だ。「〝我が家の歴史〟というテーマを選んだんです。この番地には、昔、僕の母が住んでいたアパートがあったものですから」

「ははあ」管理人さんは感心したような顔をした。「そりゃまた、たいへんなテーマを選んだもんだ」

「これは、〝ある一庶民の昭和史〟でもありますからね」と、島崎が眼鏡に触りながら言った。「どうでしょう、元の地主さんの現在のお住まいを教えてもらえませんか」

これを聞くと、管理人さんはいささか驚いたようだ。僕らのうしろに、誰か大人がいるんじゃないかと疑い始めたのか、小さな窓ごしに、じろじろと観察している。

僕は愛想笑いを浮かべて乗り出した。「駄目ですか、おじさん。お願い」

「駄目じゃないが……」大人がいないことを確認した管理人さんは、もっと釈然としない顔になった。「あたしは雇われてるだけの人間だから、このへんの地元のことは知らないしねえ」

「でも、本社に問い合せればわかりますよね？」島崎は落ち着き払っている。「電話番号と担当者の名前を教えていただければ、僕らがかけます」

管理人さんは、酸っぱいものを食べたような顔になった。「ははあ……」

「土地の売却主の現住所を、担当者がつかんでいないということはないはずです。このマンションはまだ新しい。せいぜい築四、五年でしょう。記録は資料として残して——」

僕は管理人さんに笑いかけながら、島崎の足をうんと踏みつけた。「おじさん、駄目？いいじゃない、教えてよ」

「駄目だねえ」管理人さんは頭を振った。明らかに、警戒されてしまったらしい。

「どのみち、本社に問い合せたって無駄だと思うよ。そういう情報を、外部の人間にやすやすと教えるわけがないからね」

カンカン照りつける太陽の下に出て、僕は島崎に言った。「おまえって、すっごく利口であると同時に、とんでもないバカにもなれるんだな」

「近くに商店街はないか？」島崎は知らん顔で言った。「古い店を探そう。そういうところになら、昔からの生き字引みたいな住人が残っているはずだ。いさか荘のことも、なにか覚えているかもしれない」

結果的に、彼の意見は正しかった。すぐ近くの商店街の豆腐屋さんのご主人が、いさか荘の大家さんの子供と親しかったとかで、移転先を知っていたのだ。ただし、今度は僕が主導権をもって、せいぜい中学一年生らしい態度で質問をしたから、うまくいったんだと断言しておく。

「大松さんとは、小学校から一緒だったからね」と、お豆腐屋さんは言った。

大松というのが、いさか荘の大家さんの名字だった。土地を売って引っ越したのが、五年前の春のこと。移転先は埼玉県の大宮市だ。僕らはそこで冷たい麦茶を一杯ずつご馳走《ちそう》になり、お礼を言って駅へと急いだ。

「ホラね？　子供らしい態度をとれば、大人はみんな親切にしてくれる」

島崎は悟ったような顔をしていた。「理を通して協力を請うよりも、甘えた方が効果があるとは、日本がまだまだネオテニーの社会であるという証拠だな」

「おまえ、日射病にかかったんじゃない？」

大松さん一家は、大宮市の郊外の新興住宅地に暮らしていた。見事な左右対称の二世帯住宅で、カーポートも広い。ドアチャイムを鳴らすと、二十歳ぐらいの女の人が出てきた。

「はあい、どなた？」

ショートパンツに白いTシャツ姿で、トーストのようにこんがり焼けている。

僕はまた、用意してきた口上を述べ始めた。でも、全部言わないうちに相手は笑顔にな

り、

「あらそう、キミたちだったの」

「は？」

「お豆腐屋さんから電話があったの。自由研究の中学生が訪ねて行くよって。どうぞお入りなさい。暑かったでしょう」

親切なお豆腐屋さんは、フォローの良いおじさんでもあったのだ。僕たちは勧められたスリッパを履いて、短い廊下をたどり、リビングへと通された。

広々として、全体に褐色で統一されている、気持ちのいい部屋だった。ソファには更紗《さらさ》のカバーがかけてあり、貝殻を細工した綺麗《きれい》な風鈴が、庭に通じる掃きだし窓の向こうでゆれている。

「どうぞ、座って」綺麗なお姉さんは、ソファの方を指し示した。「今、おばあちゃんを呼んでくるからね」

「おばあちゃんが、いさか荘の大家さんだったんですか？」

「そうよ。正確には、あたしの祖父母があのアパートを持ってたの」

「おじいちゃんは——」

「ごめんね。二年早く来てくれればよかったんだけど」

そう言って、お姉さんはカッコいい脚を動かして家の奥へと消えた。と、まもなく、ガ

ラスをびりびり震わせるような大声で、

「おばあちゃん！」と呼ぶ——というより怒鳴る声が聞こえてきた。

「ははあ」と言って、島崎は眼鏡をふいた。「察するに、ご隠居さんは耳が遠いと見えるね。そのつもりで質問をするように心がけたまえよ」

「どうでもいいけど」僕は彼の横顔を見た。「シャーロック・ホームズみたいなしゃべり方をしないでくれない？」

「すごいぞ、ワトスン！　今日はばかに冴《さ》えてるじゃないか」

やがてリビングに入ってきた人を、どう形容したらいいか、いまだによくわからない。とにかく小柄なおばあちゃんだった。歳を重ねるごとに、少しずつ押し固められて小さくなってしまったような感じだった。スリッパを履いていない裸足《はだし》は信じられないほど小さく、指がいびつに歪《ゆが》んでいた。もう、八十歳近い年齢だろう。

「うちのおばあちゃんよ」と、お姉さんが紹介してくれた。そして軽く息を吸いこむと、

「おばあちゃん！　さっき言ったでしょ？　この子たちが、いさか荘のことで知りたいことがあるんだって」

至近距離で聞くと、のけぞってしまうような大音量だった。それでも、おばあちゃんは「え？」と聞き返した。お姉さんは笑って、「おばあちゃん、耳が遠いの」と釈明し、もう一度声を張り上げて同じ台詞《せりふ》を繰り返した。今度はやっと、通じたようだった。

「ああ、この子らなのかい」

〝我が家の歴史〟という自由研究のために、両親が昔暮らしていた場所を訪ね、当時親しくしていた人たちを見付けることができたら、会って話を聞いてみる——そういう目的を説明するにも、かなり手間がかかった。結論から言えば、最後まで、会話らしい会話はできなかったようだ。それでも用が足りたのは、おばあちゃんが協力的だったことと、お姉さんの手助けがあったからだ。

お姉さんの名前は雅美さん。大松家のいちばん下の孫娘で、短大の二年生だそうだ。

「我が家では、あたしは人間拡声器なの」と、にっこり笑う歯は真っ白だ。

「いさか荘には、三ヵ月ぐらいだったけど、あたしも住んでいたことがあるの」

「いつごろですか？」

「取り壊すちょっと前よ。一度、一人暮らしをしてみたくてね。日当たりのいいことだけが取り柄みたいなアパートだったなあ」

なにしろ二十年も前の話なので、切りだすほうも遠慮がちだったのだけれど、雅美さんが言うには、「おばあちゃんぐらいになると、昔のことの方をよく覚えてるものよ」

実際、母さんの旧姓である「佐々木聡子」という名前と、２０４号室に住んでいたことを話すと、おばあちゃん、しばらく考えてから、

「なんか……タイプだかを習ってた人だったかねえ」と言った。

「そうそう、そうなんです。あと、その隣の２０５号室に、ヤクザみたいな男の人がいたことも覚えてないですか？」

「ヤクザ？」おばあちゃんは顔をしかめた。

「ヤクザには貸したことないよ」

「ヤクザみたいな人って言ってんのよ」雅美さんの音量があがる。僕らの方を向くと、

「定職についてなかったって意味かしら？」

「ええ……まあ、そうかな。自営業って触れ込みで入居したはずなんです」

「じえいぎょうだってよ、おばあちゃん。年齢はいくつぐらい？」

「三十五、六かな。名前は澤村さん。難しいほうの〝澤〟です」

「三十五、六だって。さわむらさん。さんずいに四に幸せの澤村だって。覚えてる？」

「あ？」

雅美さんは脇《わき》を向いて早口に毒突いた。「もう、クソババア、耳が遠いんだから」

「クソババアって言ったのかい？」おばあちゃんが怒った。

「悪口は聞こえるのよね。ホントに都合のいい耳なんだから、やんなっちゃう。なんにも言ってないわよ！」

困ったわねえ……と呟《つぶや》きながら、ちょっと考えてから、雅美さんは勢いよく立ち上がった。

「待っててね。古いアルバムがあるんだ」

待っているあいだ、手持ち無沙汰《ぶさた》でもじもじしている僕たちに、おばあちゃんがこう言った。「おあがりよ」

雅美さんが出してくれたオレンジジュースのことを言っているのだった。僕と島崎は、恐縮しながら、汗をかいているグラスを手に取った。おばあちゃんはじいっと見つめていた。

やがて、考え込んだような顔で、僕の方に身を乗り出すと、「あんたが、佐々木さんの子？」

「はい、そうです」答えてから、おばあちゃんの困ったような顔を見て、これでは聞こえないのだと思いなおした。大声を出す。

「はい、そうです」

「そう。お母さんに似てるねえ」

「そうですか」

「お母さん、元気かい」

「はい、元気です」答えてから、僕はあわてて付け加えた。「おかげさまで」

おばあちゃんはくしゃくしゃっと笑った。

「おかげさまで、ねえ」

そこへ、分厚くふくらんだアルバムを二、三冊抱えて、雅美さんが戻ってきた。どさりと床に置くと、埃《ほこり》が舞った。

「昭和四十六年と四十七年の分よ。うちは、おじいちゃんがこういうことに几帳面《きちようめん》で、きちんと日付を入れて整理してあるの。キミのお母さんも、写ってるかな」

写っていた。昭和四十六年の、お正月の写真だろう。「いさか荘」という看板の出ている狭い戸口に、お飾りが見える。

母さんは、衿《えり》の丸いピーコートみたいな上着を着て、カメラに向かってまぶしそうに目を細くしていた。髪をリボンで束ねている。

「美人だね」と、島崎に言われるまでもなく、母さん綺麗だったんだなあと思った。

「これね、佐々木さんが新巻鮭を持ってきてくれたときだよ」不意におばあちゃんがそう言って、写真の上に指を乗せた。「正月にうちに帰って、こっちへ戻ってきてから、お年始に来てくれてね」

「よくそんなこと覚えてるわね」と、雅美さんが僕らに言った。

「うちの母は、いさか荘のなかで、いちばん長くお世話になった店子だったそうですね」

僕が大声で言うと、おばあちゃんは首をひねった。「そうだったかねえ」

「結婚して引っ越すまで、ずっといたそうです」

今度はうまく伝わらなかったのか、おばあちゃんはあいまいな表情で雅美さんを見た。

雅美さんが同じ言葉を繰り返して伝えてくれた。

「ああ、そうそう。引っ越す前に、あいさつに来たっけね」

それ以上は、押しても引いても、情報は出てこないようだった。雅美さんの話では、いさか荘の実務を切り回していたのは亡くなったおじいさんの方だったそうで、おばあちゃんはほとんどタッチしていなかったらしい。記憶がなくても仕方ないのだ。

「やっぱり、二十年も昔のことだものね」と、雅美さんがため息をもらした。「ごめんなさいね、お役に立たなくて」

「いいえ、とんでもない。いきなりお邪魔して、すみませんでした」

そのとき、昭和四十六年のアルバムをぱらぱらとめくっていた島崎が、ふと手を止めて顔をあげた。

「これ、なんですか？」と、中程のページを広げて雅美さんに差し出す。「警察が来てるみたいですね」

彼が指差している写真は、どうやら、いさか荘の向かい側から、いさか荘と、その隣にあった同じような二階建てアパートを並べて写したものであるようだった。隣のアパートの玄関口に寄せてパトカーが一台停めてあり、巡査が一人、こちらに背中を向けて立って、中年の男性と話をしている。

「あら、本当」雅美さんも驚いたようだ。「ねえ、おばあちゃん。これなあに？」

おばあちゃんは、写真を見つめて考え込んでいる。薄い眉毛《まゆげ》を寄せて、ときどきくちびるを舐《な》めながら。母さんには関係のなさそうなことだし、あんまり悩ませては悪いので、適当に（なんでしょうね）と誤魔化すつもりで口を開きかけたとき、やっと言った。

「これねえ……あの、大久保清の事件のときだよ」

「オオクボキヨシ？」

この名前に、パッと反応したのは島崎だけだった。雅美さんと僕は顔を見合わせ、お互いに（誰のこと？）と思っていることを確認した。

「彼の事件の関係者が、いさか荘の近くに住んでいたんですか？」

島崎の質問に、おばあちゃんは「え？」と言った。片手を耳に当てている。島崎は深呼吸してから朗々と言った。

「大久保清の事件にかかわった人が、いさか荘の近所にいたんですか？」

「そうそう、えらい騒ぎになって」と、おばあちゃんはすぐに答えた。顔が明るくなった。

「佐々木さんにも、えらい迷惑がかかってねえ」

「母さんに？」

「どういうこと、おばあちゃん。大久保清って誰？　いさか荘の店子《たなこ》さん？」

「有名な事件です」と、島崎が説明した。「昭和史のなかでも、特異な事件として記録されていると思いますよ。大久保清という男が、若い女性ばかりを車に誘って、乱暴しては殺して埋めていたという事件ですけど――殺されたのは七人か八人ぐらいじゃなかったかな。千葉とか群馬とか、みんな東京の近県で。彼は、自分は画家でモデルを探してるとか、大学教授で結婚相手を探してるとか、口から出任せを言っていたんです」

「全然知らなかったわ」雅美さんは長い髪をかきあげた。「怖いわねえ。その男、どんな車に乗ってたの？」

「えーと……マツダのクーペだったんじゃないかな。そう、白のクーペ」

「国産車？　それで女性をハントできたなんて、よっぽどハンサムだったのね」

島崎は首をかしげた。「さあ、そこまではわかんないな」

「キミ、そんなことをよく知ってるのね」

「だから、有名な事件だからですよ。当時の社会にとっては、そう、あの連続幼女誘拐殺人事件と同じくらいの衝撃度があったんじゃないかなあ」

「ふうん」

「こいつ、犯罪おたくなんです」と、僕は説明した。島崎は眼鏡をふきながらじろりと僕を一瞥《いちべつ》した。

それまで、僕たちが勝手にやりとりをしていたので、おばあちゃんはイライラしていたに違いない。島崎が口をつぐむのを待っていたように、

「警察が調べに来たんだよ」と言い出した。

「え？　何を？」

「だから、うちの方まで調べに来たんだよ」

雅美さんの通訳で聞き出し、島崎の説明を参考にしてまとめてみると、事情はこういうことだった。

この大久保清の事件は、ある一人の女性の誘拐事件に絡んで本人が逮捕されたあと、自白によって次々とほかの死体が発見されるという展開の仕方をした。だから、当時、関東近県や都内で行方不明となっていた若い女性は、みな一度は彼と結びつけて調べなおされたようだ。そういう女性の一人が、いさか荘の隣のアパートにいたのである。彼女は、失《しっ》踪《そう》して二ヵ月ぐらいたっていた。問題の写真は、彼女の件を洗いなおすために、地元の警察官が訪ねてきたところを写したものだったのだ。

「うちのおじいさんは、そういう騒ぎとか、好きだったからねえ。野次馬で」と、おばあちゃんは言った。

ただ、これだけなら何ということもない。問題は彼女の名前だった。佐々木里子というのである。

母さんと同姓同名だ。字が違うだけ。しかもアパートは隣同士ときている。これが、ちょっとした騒ぎのもとになったわけだ。

当時、この未曾《みぞう》有の残虐な事件に世間は大騒ぎをしていたし、報道する側も、まだ死体が出るのじゃないか、まだ犠牲者がいるのじゃないかと神経を尖《とが》らせていた。この佐々木里子さんも、行方不明になる直前、前橋市にいる知人を訪ねていることが判明したということも重なって、すわ、新たな犠牲者かと、一部の雑誌などで先行報道されてしまったのだという。

結果的には、その記事を見て仰天した本人が名乗り出たために、間違いであるとわかったのだけれど(どうやら、失踪の理由は妻子ある男性との駆け落ちであったようだ)、迷惑したのは母さんだ。毎日顔をあわせている友人たちはいいが、まず実家の両親が驚いて電話してくる。誤解だと説明し、無事な顔を見せに実家に帰ると、その間、やはり記事を見て訪ねてくる他の知人たちと連絡がとれなくなり、それが「やっぱりそうなのか!」という早合点をうんでしまうという有様で、ほとほと疲れたようだった。

「そんな話、母さんから聞いたことなかったなあ」

「いくら無関係だったといっても、事件自体がひどい話だから、子供には聞かせたくなかったんでしょう」と、雅美さんが言った。「それに、忘れちゃってるのかもしれないし」

「そうですね……」

島崎は無言で、何やら考え込んでいる。

結局、僕らが大松さんの家を失礼したのは、それから一時間ほどのちの、午後四時ごろ

になってのことだった。もう聞き出せることはなかったのだけれど、

「帰り道、お腹がすいちゃうといけないから」と、雅美さんが冷し中華をご馳走《ちそう》してくれて、駅まで送ってくれたのだ。私立探偵や刑事が、聞き込みにいった先で冷し中華をおごってもらうなんて話は、ドラマのなかでも聞いたことがない。子供は得だね。

京浜東北線に乗ってからも、島崎は黙りこくったままだった。話しかけても、生返事しか返ってこない。しまいに僕も疲れてしまって、秋葉原で総武線に乗り換えるときまで、居眠りをしていた。

総武線のホームで、島崎は突然言い出した。

「今夜、聡子さんに、問題の人違い事件について訊《き》いてみろよ」

「え?」

「ただ、訊き方に気をつけて。いさか荘の大家さんを訪ねたなんて言うなよ」

「そんなのわかってるよ」

「結果がわかったら、電話してくれ」

なんだかひどく愛想のない感じだった。眼鏡の奥の目をのぞいても、何を考えているかわからない。

それでも、その晩の夕食のときに、言われたとおり、僕は慎重に切りだした。

「ねえ、母さん。昔、大久保清事件ってのがあったの、知ってる?」

驚いたことに、反応は顕著だった。手にしていた箸《はし》を取り落としそうになったほど。

「急に、何を言い出すの？」

「知ってる？」

「知ってるわよ。イヤな事件だったけどね」

僕は指示されたとおりの嘘《うそ》をしゃべった。

——島崎がね、夏休みの自由研究で（なんて便利な口実！）、〃わたしたちの昭和〃っていうテーマを選んでさ、大きな事件の研究をしてるの。それでさ、古い週刊誌の切り抜きを見てたら、江戸川区のアパートに住んでた〃佐々木里子〃っていう女性が、大久保清事件の犠牲者の一人じゃないかって報道されている記事を見つけたんだ。母さんの名前と同じでしょ？ 住んでるところも似てるしさ。人違いで騒がれたりしなかった？

母さんは、しばらくのあいだ、顔の表情も変えないまま、じっと僕を見つめていた。でも、それはたまたま視線が僕の方を向いているというだけで、母さんの瞳《ひとみ》は、くるりと裏返って自分の内側を見ているように感じられた。

「そんなこと、なかったよ。母さんは知らないわ」

そう答えて、食事に戻った。それきり、その話題には触れようとしなかった。

「昭和四十六年五月十四日」と、電話の向こうで島崎は言った。「大久保清が逮捕された日だよ。連続殺人についての自供が始まって、世間が大騒ぎをしだしたのが月末からだ」

僕は受話器を握って声をひそめた。母さんはお風呂《ふろ》に入っているけれど、油断はならない。

「それがどうしたの？」

「例の思い出話、聡子さんと澤村さんが初めて会ったのは、昭和四十六年の一月の末ごろだったよな？　二週間ほどで、彼は消えた。二月の中ごろということになる」

「何が言いたいんだよ」

「二人が別れてから、大久保清の騒動が起こるまで、三ヵ月たってるよな」

「それが？」

島崎は重々しい咳払《せきばら》いをした。「あのさ、〝昭和の事件史〟って本で調べてみたんだけど、大久保清は、逮捕されるまでのたった七十七日間に、八人を殺してるんだよ。声をかけたのは百二十七人、車に乗せたの三十五人、乱暴したのは十数人。七十七日といったら、二ヵ月半くらいだ。すごい早業だな」

僕には、彼の言いたい意味がよくわからなかった。

「なあ、考えてみろよ。こんなすごいデータを見せられたら、おまえならどう感じる？」

「どうって……？」

「一人暮らしの、知り合いの女の子のことが気にならないか？　しかも、彼女には借りがある。もうずっと会ってない。連絡もとってない。そういう関係じゃないからそうしていなかったんだけど、でも、ことがこうなると気になってこないか？」

それでやっと、意図がつかめた。

「しかも、そこへ持ってきて、彼女とよく似た名前の女性が、被害者として挙げられている。これで気にならなかったら、よほど血の冷たい人間だよな」

風呂場で水音がしている。僕は、今日、大松さんに見せてもらったアルバムのなかの母さんの顔を思い浮べた。

「どっちみち、オレだったら、そんな記事なんか出てなくても、一度は様子を見にいくかもしれないな。まさかとは思うけど、その〝まさか〟を確かめに」

ホテルみたいなウイークリー・マンションを、少しでも我が家らしくするために、母さんはうちから持ってきたカレンダーを壁に貼《は》った。そのカレンダーを眺めながら、僕は日付を勘定した。

二月の中ごろに別れて、五月の末か、あるいは六月の初めごろ――

「それで再会したのかな？」

島崎はすぐに答えた。「そう思う。仮説だけど」

「母さんに訊いてみたよ。知らないって」

「ふうん」

「でも、ちょっと不自然だったな」

電話の向こう側で、液体のはねるピシャというような音がした。

「何を飲んでるのさ？」

「コーラ」

「頭が悪くなるって言ってたくせに」

「たまには刺激ブッがほしくなるんだよ、ワトスンくん」

風呂場のドアが開き、母さんが僕を呼んだ。

「雅男、お風呂に入っちゃいなさい」

「はあい！」

返事をしてから、また受話器に向かった。

「ねえ、切る前にひとつ教えてくれよ。今日、ヘンなこと言ってたろ」

「なに？」

「ネオテニーとか何とか。あれ、なんのことさ」

「ああ、あれか。〝幼形成熟〟という意味だよ。子供っぽい感じのまま大人になること」

「そういうの、どこで調べるの？」

「調べちゃいない。自然に見聞きする」

「変わった暮らしをしてらぁ」

笑いながら、島崎はまたコーラを飲んだようだ。僕も喉《のど》が渇いてきた。

「なあ」

「うん」

「三十五歳の男から見て、十九歳の女の子は大人かな、子供かな」

「……むずかしいね」

「将来、三十五歳になったら、どっかの短大へ出かけて女子大生に声かけまくって、確かめてみるしかないかな」

「そうだね。でも、ワトスンくん。ひとつだけ確かなことがあるよ」

「何さ?」

「十九歳の女の子は、すぐに二十歳になる。二十一歳、二十二歳、二十三歳になる」

「なるね」

「それはすごい変化なんだろうな、きっと。従姉《いとこ》とかを見てて、そう思う」

「うん、わかる」

「だけどさ、男は、三十五でも三十六でも三十七でも、そうたいした差はないよ。急にじいさんになるわけじゃないからさ」

僕は黙って、また壁のカレンダーを眺めた。流れる月日のことを思った。

「明日、またな」

「うん。よろしくね、ホームズくん」

「おやすみ、ワトスンくん」

ひと呼吸おいて、島崎は小さく付け加えた。

「よく眠れよな」

だけど僕は、誰かに〝たかい、たかい〟をしてもらっている夢をみた。

**2**

「こりゃ、すごいな」

両手をいっぱいに伸ばし、顔の前で大きく広げた新聞の向こう側で、島崎が言った。

「何が？」

「喧嘩《けんか》だよ。女の喧嘩」

僕たちは、西船橋へ向かうために、総武線快速幕張行きの車中の人となっていた。通勤時刻をすぎているので、かなりすいている。僕たちはボックス席をひとつ占領し、島崎は、網棚にあげてあったスポーツ新聞を目ざとく見つけて、興味深そうに読みふけっているというわけだ。

「どうでもいいけど」僕は大きな声で言った。「たたんで読んでくれよ」

島崎は新聞の陰から顔を出すと、僕の方へ向いている側の紙面をちらりと確認した。生物学的に超リアルな挿し絵のついたポルノ小説の載っているページだ。

「心にもないことを」と言うと、ニヤッと笑ってまた首をひっこめてしまった。僕は急いで言った。

「冗談じゃないよ。やめてくれよ」

さきほどから、通路をはさんだ向かい側に腰かけているおばさんが、目を怒らせて僕たちの方をにらみつけているのだ。愛想笑いを投げてみても、いっこうに効果がない。

「おい、よせってば」

再三、袖《そで》をひっぱっても反応がないので、とうとう、タイミングを計って「やっ」と新聞を取り上げてやった。でも、ちょうどそのとき電車は市川駅へすべりこみ、さっきのおばさんは、相変わらず目を釣り上げたまま、こちらをうんとにらんで降りていってしまったので、僕の濡《ぬ》れ衣をはらすには、間に合わなかった。

「まったくもう」僕は涼しい顔の島崎に言った。「網棚から新聞を拾うなんて、おっさんのすることだぜ」

「いいじゃないか。資源保護になる」

電車が動きだし、市川駅と、駅の周囲の繁華街がうしろへとり残されてゆく。見おろした道路に連なる車の屋根が、太陽の光を反射している。今日もまた、目もくらむような暑さだ。

西船橋は、十五年前、父さんと母さんが結婚して、最初に住んだ町だった。アルバムで当時の写真を見てみると、その頃からもう、押しも押されもしない東京のベッドタウンだったのだとわかる。

二人が暮していたのは「ハイム西船橋」という小さなアパートだった。いさか荘の場合と違って、今回は、わかっているのはそれだけだった。番地は不明なのだ。思い出話にかこつけて、母さんから聞き出そうと、水を向けてみたのだけれど、

「さあてねえ……番地までは覚えてないなあ」と言われてしまった。「駅の近くで、近所に荒物屋さんがあった」なんて、手がかりにもなりゃしない。

地元の図書館で十五年前の住居地図を調べてみればわかるさ——と、島崎に励まされて、とにかく電車に乗ってはみたのだけれど、いささか不安だ。

「建物、残ってるかなあ」

東京の近郊は、日本でもいちばん新陳代謝の激しい土地だろう。ハイム西船橋は、一応鉄筋のアパートだったらしいのだけれど、十五年前の物件となると、残っているかどうか怪しいという気がした。

「なんとかなるさ」と、島崎は言う。まだスポーツ新聞に未練を残しているような顔だ。

「さっき、何を読んでたのさ?」

すると、島崎はまた新聞を拾いあげ、ガサガサいわせながら、その記事の部分を折って

差し出した。「〝ポセイドンの恩寵《おんちょう》〟はどこへ？」という見出しがついている。

「なんだ、これかぁ」

この騒動のことなら、よく知っている。現在、ワイドショー関連のレポーターたちの関心を、もっとも強く惹《ひ》き付けているホットな話題だ。おかげで僕らは、だいぶ気が楽になった。実際、有り難かったのです。

行き先を案じられている〝ポセイドンの恩寵〟とは、八十六粒の黒真珠でできた二連ネックレスと、四十三粒の黒真珠を二連にしてつくったブレスレットのことだった。大げさな命名は、今から五十年ほど前に、最初の持ち主だった南洋の小さな国の王室でなされたものだそうだ。

天然の黒真珠は、それ自体が貴重品だ。そのうえ、これだけの数の真珠の粒が完璧《かんぺき》に揃《そろ》っていることと、色合いがほとんど「漆黒」と呼んでいいほど濃く、艶《つや》があるということで、この一対のアクセサリーは、凄《すご》く希少性が高いのだという。すなわち、〝海神ポセイドンの恩寵〟というわけだ。

もっとも、この一対が世界中を流れ歩き、さまざまな持ち主のあいだを転々とするようになった事情をみてみると、とてもじゃないけど〝恩寵〟があったとは思えない。最初の持ち主の南洋の王室から持ち出されたのは、武力革命のため。国王夫妻は投獄・処刑されてしまった。次の持ち主だったテキサスの石油会社の社長は飛行機事故で横死。遺産を相続した息子が中東でテロリストに誘拐され、法外な身代金を払うために〃ポセイドンの恩寵〃は売りに出された。首尾良くイギリスの貴族に買い取られたのは良かったけれど、この新しい持ち主は、まもなくIRAの爆弾テロに遭って死亡。遺族は大英博物館への寄付を申し出たけれど、博物館側に拒否されて、結局はまた身売りだ。この当時、買い手の一人には、あのイメルダ夫人も含まれていたそうで、クーデターがなければ、今頃は——などとも言われている。

このいわくつきの宝石が日本へ渡ってきたのは、五年前のことだった。購入したのはある大企業の会長で、相続税対策だったらしい。自分の都合で世界的な名画を買い漁《あさ》るよりは罪が軽いかもしれないけれど、あんまり感心できることじゃない。それに、この相続税対策は失敗続きで、会長が亡くなったあと、散々調べあげられ追徴金が課せられて、結局はまた、〃ポセイドンの恩寵〃を売らなければならなくなった。

現在、このババ抜きのババみたいな宝石を、会長の遺産相続人から預り、買い手を募っているのは、銀座にある「加賀美」という宝石店である。それを、某財界人の令嬢A子さんと、テレビタレントの安西真理とが、それぞれ手に入れようとして張り合っているというのが、騒動の内容だった。

さて問題は、このワンセットのお値段である。現在のところ、四億八千万円なり。現在、、、、のところという注釈がつくのは、この二人が激しく値段を吊《つ》り上げあっているからだ。

「加賀美」が最初に売りに出したときの値段は三億円だったというのだから、なんとまあ、呆《あき》れるしかない。

「すごいね。よくそんな金があるなあ」

「おまえのとこだってあるじゃないか」

そう言われて、思わず吹き出した。「そういやあ、そうだね」

でも、うちの母さんが、あの五億円で、黒真珠のネックレスやブレスレットを欲しがるとは思えない。そういう使い道を思いつくこと自体、なさそうに思えた。だいいち、五億円でこんなアクセサリーを買っても、着けてゆく場所がないからね。

「五億円の宝石を買えるのは、自由にできるお金を十億円持っている人たちだな」と、島崎が眼鏡を押し上げながら言った。

「そうすると、タレントって儲《もう》かるんだな。安西真理って、そんなに稼いでるのかぁ」

「旦那《だんな》が金持ちだからだよ」

「あ、そうか」タレントの話にはあんまり興味がないので、忘れてた。「安西真理って、結婚してたんだっけね」

この獲得合戦は、昨年の秋、「加賀美」で開かれた内覧会で、問題の女性二人が鉢合わせしたことに始まる。

二人はそれまで面識のある間柄ではなかった。でも、僕にもそれはわかるけど、会った瞬間に（あ、こいつイヤなヤツ）と思ってしまう相手というのはあるわけで、この女性たちの間にも、そういう負の電流が流れたものであるらしい。また、それにはちゃんと理由もあった。

財界人令嬢A子さんは、母方は旧華族につながる家柄、父方も旧財閥の流れをくんでいる、要するに毛並みの良い女性だ。本人も一流大学を卒業し、現在は、趣味人として知られていた父方の祖父のコレクションを展示した個人美術館で、学芸員をしている。

かたや安西真理は、高校もろくすっぽ卒業せずに（退学させられたという噂《うわさ》もある）、家出同様に上京し、タレントスカウトキャラバンで入賞したことをきっかけにデビュー、十代で人気歌手となり、二十代の初めごろから女優業に手をのばし、これからどうなるのかなあと、そろそろ将来が案じられる二十五歳の曲がり角で、ここ数年で巨万の富を築いた青年実業家をがっちりキャッチ、社長夫人におさまってしまったというやり手なのである。しかもこの結婚は、相手の妻子を追い出してそのあとを襲うという、きわめて強引なものだった。

すべてにおいて対照的なこの二人は、同い年の二十六歳。二人とも美人だし、いろいろと焚《た》き付ける取り巻きも多い。A子さんは、安西真理に追い出された前社長夫人と親しくしていたという噂もある。どっちへ転んでも、仲良くできるはずがない。A子さんが「タレントあがりの、教養のかけらもない女が、こういう内覧会に招待されているのはおかしい」と言ったとか、安西真理も「お嬢様ぶってるけど、あんなの一皮剝けばただの尻軽女よ」とやり返したとか、まあ、いろいろだ。

だから、現在のこの争奪戦は、内覧会のあと、令嬢A子さんが〝ポセイドンの恩寵〟を欲しがった時点から、もう始まっていたと言っていい。A子さんは婚約しており、挙式は来年の五月末の予定だ。〝ポセイドンの恩寵〟は、どうやら、彼女の持参金代わりになるらしかった。

ところが、情報をキャッチした安西真理の側は、すぐさま「あたしも欲しいわ」と言い出した。そして、この大人げない女性の我の張り合いが、もつれにもつれて現在に至っている——というふうに、記事は書かれていた。

今回、この争いが表面化したのは、安西真理の側がA子さんを相手取って名誉毀損《めいよきそん》の訴訟を起こしたからだった。なんでもA子さんが、あるパーティの席で、「安西真理はデビュー前、ソープランドで働いていたらしい」としゃべったとかしゃべらないとか、そういう怪文書も流したとか、これは不当な中傷だとか、とにかくヒステリックに怒っているのである。

「こうなると、次元の低い争いだねえ」僕は呆れてしまった。「それにしたって、持ち主に不幸を運んでくるとしか思えないこんな宝石に、これほど執着するなんて、ちょっとおかしいんじゃないかな」

「おたがいに、引っ込みがつかなくなってるのさ」島崎は笑った。「それに、オレはこれ、代理戦争だと思うよ」

「代理戦争？」

「うん。本当に争ってるのは、A子さんの父親と、安西真理の旦那の青年実業家さ。そこにもちらっと書いてあるよ」

普通なら「いい加減にしろ」と仲裁する側に回るべき、彼女たちの旦那や父親が、いっこうに事態の収拾に乗り出そうとしないのは、彼らもまたそれぞれに、前々から、宝石を売りに出している例の会長一族とコネをつけるチャンスを狙《ねら》っていたからだった。A子さんの父親は、どうやら政界入りをもくろんでいるらしく、それには、会長一族を味方につけておくと、きわめて具合がいい。安西真理の旦那の青年実業家は、事業のさらなる拡大と箔《はく》づけに、ぜひとも会長一族のバックアップが欲しい。そのためには、なんとしても、一円でも高く〝ポセイドンの恩寵〟を買い受けて、覚えをめでたくしておきたい。どちらも譲れない——というわけだ。

なるほど、と、僕はうなずいた。華やかな女の争いに見せかけてはあるけれど、結局はビジネスなのだ。いちばん人が悪いのは、この騒動を、懐手で悠々と観戦している会長一族なのかもしれない。

「それにしても、このA子さんて、お嬢様のくせに、けっこう口が悪いね」

A子さんのコメントとして(本人が本当にそう言ったのかどうか怪しいもんだけど)、「真珠は気品のある宝石だから、気品のある女性が身につけるべきです。〝豚に真珠〟という諺《ことわざ》もあるでしょう?」なんていう言葉が載せられている。面と向かってこう言われたら、そりゃあ、安西真理も怒るだろう。当たってるだけに、怒るよな。

最後のほうに、「加賀美」の店長の、「美しい宝石をめぐっての醜い争奪戦は、歓迎できるものではありません――」というコメントが載せられていた。実際、その通りだ。

それに、本来、得意客だけを相手に静かな商売をしている「加賀美」にとっては、こんな騒ぎに巻き込まれたこと自体、たいへんな損失なのだという。〝ポセイドンの恩寵〟を狙った強盗に襲われる心配もある。

「いい迷惑みたいだね」

「いちばん妥当な解決方法は、どっちにも売らないことだな。第三者に売ればいい」

「そりゃそうだけど」

「聡子さんを説得して、あの五億円で買い取ってみたら?」

「そういうの、〝火中の石を拾う〟っていうんじゃなかった?」

「〝火中の栗を拾う〟だよ」

「石の方が熱く焼けるじゃない」

「屁理屈《へりくつ》だ」

そんなことを言っているうちに、電車は西船橋駅に到着した。

午前十時から午後三時までのあいだに、僕と島崎は、それぞれに缶ジュースを二本ずつ、氷イチゴを一杯ずつ、アイスキャンデー二本ずつを消化した。それでも、一度もトイレに行かなかった。全部汗になって流れ出てしまったのだ。つまりは、それほどに歩き回り、なおかつ徒労だったということだ。

図書館に古い地図はあったけれど、とにかく町並みが劇的に変わってしまっているので、手がかりにしようがなかった。道筋も変化している。なんだかんだいっても古いものが残されている東京の下町とは、まったく事情が違うのだ。

駅の近くの児童公園で、二人してベンチにへたりこんでいると、目の前の地面に、誰かが「悲惨な子供たち」とかいう看板を立てていきそうな感じだった。もっと日陰のベンチに行きたかったのだけれど、あいにくとそちらには先客がいて、顔にハンカチをかけて眠っている。ハンカチの端からのぞいている髪が見事なまでのパンチパーマで、少しばかりアルコールの匂《にお》いもしたので、近寄らないほうが無難だと判断したのだった。

「なあ……次はどこだっけ」

うめくような声で、島崎が言った。

「草加市だよ」僕はしるしをつけてきた地図を広げた。「『ビビアン草加』っていうマンションだ」

父さんと母さんは、結婚三年目に、ハイム西船橋からそちらへ引っ越し、そこで七年頑張って頭金を貯め、今のマンションを買ったのだった。

「草加かあ」腹ばいになりながら、島崎がうなった。「どういう基準で物件を選んで引っ越してたんだろう。バラバラじゃんか」

「おまえんちみたいに、持ち家の人にはわからない苦労があるんだよ」僕もぐったりしてきた。「家賃が安くて子供ＯＫで、買物便利で医者が近く、子供が遠距離通学しなくてよいところ。そんなのめったにあるもんじゃないさ」

「今日のうちに、草加へ行く？」

島崎の顔には（行きたくない）と書いてある。僕の顔にもそう書いてあったに違いない。情けないけれど、ひとつつまずくと、調査自体に嫌気がさしてきてしまった。え？ 根性が足らない？ うん、サッカー部のコーチにも、よくそう言われるよ。悪うございましたね。

「最初がうまく行きすぎたんだよなあ」

「そうだよね」雅美さんもおばあちゃんも親切だったからなあ。

帰ろうか――と言い出そうとしたとき、うしろの方から誰かに呼びかけられた。

「雅男くんじゃないかい？」

首をのばしてみると、すぐそばのブロック塀から身を乗り出すようにして、男の人が一人、こちらを見ている。若い人だ。黒ぶちの度の強そうな眼鏡に、短髪。きちんとネクタイをしめて、グレイのスーツの上着を腕にかけていた。

「緒方雅男くんだろ？」と、もう一度言った。

島崎が僕の袖《そで》を引いた。「マスコミか？」

「わかんないよ。顔なんかいちいち覚えてないもん」

僕も島崎も腰が引けてしまっていた。その様子がおかしかったのか、相手はニコニコ笑うと、

「ごめん、ごめん。びっくりさせちゃったかな。僕は前川法律事務所の新田と言います。先生の助手をしてるんだけど」

「助手？」

「うん。一度、キミとお母さんが事務所に来たとき、挨拶《あいさつ》したんだよ。覚えてないかな」

たしかに、一度だけ、先生の事務所を訪問したことはある。なにかの書類のハンコが落ちていたとかで、それを捺《お》すために立ち寄っただけだったから、十分ぐらいしかいなかった。

前川法律事務所は、僕が漠然と想像していたよりも、ずっと大きなところだった。先生のほかに弁護士さんがあと二人いて、それぞれに助手や事務の女性がついている。ワープ

ロが四台、でんと腰を据えていた。『判例時報』を収めた書棚が部屋のぐるりをとり囲み、僕がそれをながめていると、若い男の人が、「推理小説みたいで面白いかもしれないよ。読んでみる?」と声をかけてきたっけ。

あの人だったかなあ……と考えた。先方はまだニコニコ笑いながら、

「こんなところで何をしてるんだい?」と、訊《き》いてきた。

「自由研究で……」僕はお定まりのセリフを吐いた。「だけど、暑くてバテてるんです」

「そりゃそうだろうなあ」新田という人は太陽を見上げた。「僕は車で来てるんだ。これから事務所に帰るんだけど、途中まで送ってあげようか?」

なにせもう、バテバテだ。ほとんど躊躇《ちゅうちょ》することなしに、僕は返事をした。

「ありがとう。すっごく助かります」


車はフォードアの国産車で、シンプルなスタイルのものだった。僕たちが後部座席に乗りこむとすぐに、新田さんはエアコンをかけてくれた。助手席には、大きな革のカバンが載せてあり、その外ポケットに、前川法律事務所の名入り封筒がつっこんであった。

「こちらには、どんな用事で来てたんですか?」

Tシャツの裾《すそ》で眼鏡をふきながら、島崎が質問した。車を駐車スペースから出してしまうと、新田さんは答えた。

「たいした用じゃなかったんだ。小さな民事裁判なんだけど、何度送っても、相手方に訴状が届かなくてね。本当にそこに住んでるのかどうか、調査にきたというわけ」

「へえ……訴状って郵便で送るんですか？」僕はびっくりした。なんとなく、いかめしい顔をした裁判所の人が、直接届けに来るような気がしていたのだ。

「そうだよ。特別送達っていう、書留みたいな郵便で送る。ただ、どうしてもそれで届かないときは、裁判所の〝執行官〟という人が出かけていくんだけどね」

「弁護士事務所の助手って、そういうことをするんですか」

「何でもやるよ。掃除からお茶くみ、先生の接待ゴルフの運転手もする」

言葉どおり、なめらかな運転ぶりだった。

「自由研究で、何を調べてるの？」

逆に質問されて、僕はうろたえてしまった。島崎をちらりと見ると、彼は眼鏡を押し上げて、

「ある一庶民の昭和史というテーマなんです」

「へえ、そりゃ凄《すご》い」

「まあ、〝我が家の歴史〟をたどろうというものなんですけどね」

「それで西船橋に？」

まずいなあ……と、僕は思った。こんな調査をしていることは、母さんには内緒なのだ。

だけど、万が一この人の口から（雅男くんたちと、西船橋で会いましたよ。なにか調べてるようでした）なんて言われたら、敏感な母さんのことだ。妙だと思うに違いない。

「あのぉ……実は、このこと、母さんには内緒にしてあるんです」

新田さんは（へえ？）という感じで眉毛《まゆげ》を上げた。眼鏡がずれた。しかし、凄い度の強そうな眼鏡だ。この人、これをはずしたら何も見えないんじゃないのかしら。よっぽど勉強熱心だったに違いない。

「もっと子供らしいテーマを選びなさいって言われるに決まってるから。だから、すみません、僕らと会ったこと、内緒にしといてもらえますか？」

あはは、と陽気な声をあげて、新田さんは笑った。「ＯＫ、秘密にしておくよ。僕は、それ、いいテーマだと思うしね」

車は順調に進み、市川市内に入っていた。

「じゃあ、家の前まで送らないほうがいいのかな」

「はい、駅前で結構です」

車の振動に心地よく揺られていると、眠くなってきた。島崎も同じような様子で、僕たち二人とも、ぼんやりと車窓の風景をながめているうちに、駅前へと着いてしまった。

お礼を述べて車から降りた。ドアを閉めようとしたとき、思い出したように新田さんが言った。

「そうそう、お母さんから聞いてるかい？　今週の週末、みんなで前川先生の別荘へ行くという話」

初耳だった。

「先生、別荘を持ってるんですか？」

「正確には、まだ持ってはいないんだ。どの辺に買おうか迷ってる。それで、ひと夏ごとに違う土地で貸別荘を借りてすごして、候補地をしぼってるんだよ。今年は上諏訪《かみすわ》だって言ってたな。緒方さんたちも一緒にいかがですかって、誘ってるはずなんだけど」

それは素敵だ。母さん、招待を受けてくれるといいけど。

「もしお母さんが忙しくて駄目でも、雅男くんだけでも来てみたら？　楽しいと思うよ」

そうします、と答えて、僕らは走り去る車を見送った。

「あの眼鏡、見たか？」と、島崎が言った。

「ウン、見た。すごいね。司法試験に挑戦してるのかな」

島崎は何を考えているのか、返事をしない。やがて、「ハラが減って死にそうだ」と、ぽつりと言った。

## 3

その夜、母さんと僕を訪ねて、ハートの女王がやってきた。

最初はハートだったけど、話しているうちに刺々《とげとげ》しくなってきて、ダイヤの女王になって帰っていった。誰のことだって？　誰だと思います？　意外な人だよ。

あの、ピンクのゴルフウエアの女性だった。彼女が一人で、僕らのウイークリー・マン
ションを訪ねてきたのである。チョモランマに無酸素単独登頂するような勇気が必要だっ
たろうと思うけど、本人は案外ケロリとしていた。

セキュリティ・システムが自慢のこのマンションでは、個々の部屋に、TVモニター付
きインタホンが備え付けてある。入り口は無論、オートロックだ。だから、訪ねてきたこ
の女性の顔を、僕は最初、小さな画面のなかで拝見した。

「お母さんはいる？」と、彼女は切り口上で言い出した。

「はい、います」

「じゃ、出してくれない？」

「母は出たがらないかもしれませんが」

「生意気な子ね。いいから早く出してよ」

と、この時、流しで洗い物を片付けていた母さんがやってきた。モニター画面に映って
いる顔を見るなり、こめかみをピクリと震わせた。

「何のご用件でしょう」

「お話があるんです」

「こんな夜分に？」

「急ぎの話なの」

母さんはぐっと顎《あご》を引いた。「そこで待っててください。今、降りていきますから」

「外で話すの？　誰が聞いてるかわかったものじゃないでしょう。奥さんの恥になるから言ってるんですよ。なかへ入れてください」

「――子供がいるのよ」

「しょうがないでしょう。それに、赤ん坊じゃないんだから、話を聞かせたっていいじゃない」

僕は、最後までこの女性を好きになれなかったけれど、このひと言には同感した。母さんが僕を見おろしたので、僕はしっかりうなずいて、言った。

「この段階で外へ出ていかれるほうが、ずっと気になるよ」

母さんは、深いため息とともに「解錠」のボタンを押した。

今夜の彼女は、ふんわりとしたデザインの、白い木綿のワンピースを着ていた。ただ、化粧は濃いし、リビングの椅子《いす》に落ち着くなり煙草を取り出してスパスパやり始めたので、どこから見ても清楚《せいそ》な少女とは言いがたい。〝女羊飼いガラテアの役をやっている素行の悪い女優が誰もいないのをいいことに楽屋で堂々とくつろいでいるの図〟という感じだ。

ちょっと回りくどいですけど。

最初、母さんは僕に、「部屋でテレビでも観てなさい」と言った。僕は怒った。かなり戦略的な怒りではあったけど。

「こういうときに、部屋でテレビを観ていられるほど、僕は無神経じゃないよ」

「まあちゃん……」

「前に、母さんだって言ってたでしょうが。ほかの誰よりも、雅男に関係のあることなんですよって。僕はもう赤ん坊じゃないんだから、心配しないでいいのよなんて言葉にごまかされたりしないよ」

ここでまた、ガラテアさんが良いことを言った。「坊やの言うとおりよ、奥さん。それに、あたしだって、子供の前で言っていいことと悪いことの区別ぐらいついてるから」

母さんは、渋々折れた。僕は、母さんの気持ちを汲《く》んで、できるだけ二人から離れて座ることにした。

最初のうち、部屋のなかは、沈黙という名の王様に支配されていた。この王様は、もの凄《すご》く体重が重かった。強がってはみたけれど、僕は押しつぶされそうだった。

「いい部屋ね」周囲をきょろきょろ見まわしながら、彼女が口を切った。「灰皿はないの?」

「ここじゃ誰も煙草を吸いませんからね」

僕はそうっと立って、風呂《ふろ》上がりに飲んだサイダーの空缶を拾い出し、彼女の方へ押しやった。

「ありがと」と、彼女はほほえんだ。「坊や、行雄さんに似てるわね」

今まで、誰からもそんなふうに言われたことがない。たいてい、「お母さんそっくりね」と言われる。

「ねえ、ここ、家賃いくらぐらい?」

次の煙草に火をつけながら、彼女が言った。母さんは口をへの字に曲げて黙っている。

「いいじゃない、それぐらい教えてくれたって。そんな、親の敵《かたき》を見るような顔しないでくださいよ」

この図々しい言い草に、さすがの母さんも顔色を変えた。「あなたね、少しは自分の立場をわきまえたらどうなの?」

「立場って?」

「あなた、うちの主人と——」母さんは素早く横目で僕を見た。「うちの主人と——付き合ってるんでしょう?」

相手は吹き出した。僕も正直、苦笑を噛《か》み殺した。だけど笑っちゃいけない。母さんは、僕にショックを与えるような言葉を口に出すまいとしているのだ。

今、僕がこの場で、(母さん、ここ何日か、僕は島崎に手伝ってもらって、僕が澤村さんと母さんのあいだにできた子供であるという証拠を探して、調べ回ってるんだよ）と告白したら、母さんは椅子《いす》ごと倒れてしまうことだろう。それぐらい、僕は信用されているのだ。無垢《むく》な子供だ――とね。だけど子供が無垢であるとは限らないし、無垢であることが最善であるとも限らないじゃない？　往々にして、大人はこれに気づかないけど。

「そうよ、あたしは行雄さんと付き合ってます。今、あの人、あたしのマンションで暮らしてるわ」彼女は僕のほうへ首をかしげた。

「あたしの言う意味、わかる？」

「はい、わかります」

「そう、お利口ね。大人よりずっとお利口だわよ」

また何か言いかけた母さんを制して、彼女は座りなおした。

「それで今日はね、奥さん、あたし、あなたがたに行雄さんを返しにきたの」

「いったいどういうこと？」

「だから、言葉どおりよ。あたし、行雄さんと別れるわ。あたしのマンションからも出ていってもらう。だから彼、あなたがたのところへ戻ってくるわよ」

しばし無表情に相手を見つめてから、平べったい声で、母さんは言った。「それは、主人と話し合って出した結論なのかしら」

「いいえ。あたしの独断」彼女はふうと、煙草の煙を吐いた。

「じゃ、主人は承知しないんじゃない？　あなたに首ったけのようだから」

彼女はちょっと笑った。「ねえ奥さん、行雄さんに聞いたんだけど、あなた、ずいぶん前から彼とあたしのことを知ってたんですって？　どうして気づいたの？」

母さんは目をそらした。「自然にわかることよ」

「だけど、〝妻の勘〟だけじゃ、具体的なことまではわからないでしょ？　ね、教えてよ。興信所かなんかに頼んだの？」

母さんはテーブルの脚をにらみつけている。念力が実在するならば、それは瞬時にぼきりと折れて、白いワンピースの彼女のほうへと飛んでいくことだろう。

やがて、低い声で答えた。「自分で調べたのよ」

彼女は驚いた。「へえ、すごーい。たいへんだったでしょ」

母さんは自棄《やけ》気味だった。「うちの主人は、こういうこと、今までに何度もやってるんですよ。浮気はあなたが初めてじゃないの。だからあたしも慣れてるの」

「そうらしいわねえ」彼女は言って、大きくうなずいた。母さんはびっくりして顔をあげた。

「あなた、そこまで知ってて付き合ってたの？」

「そうよ。あたしだって純情可憐《かれん》な乙女じゃないもの。わかるわよ。だから訊《き》いてみたら、話してくれたわ。行雄さん、モテるみたいね。一度は、会社の部下の女の子だったっていうじゃない」

どうやら僕は、うへ！　と声をあげてしまったらしい。母さんがあわてて、

「まあちゃん、あんたはやっぱり聞かないほうが──」

「もう聞いちゃったわよ。ねえ？」

「はい……」そう、僕は純粋にびっくりしただけで、傷ついてはいませんでした。「平気だよ、母さん」

僕が思わず、うへ！　と言ったのは、思い出したからだった。二年ほど前の六月大安吉日、父さんと母さんが、初めて仲人をしたときのことを。あの時の花嫁さんは、たしか父さんの部下だったはず……

そういえばあの時、母さんは、おばあちゃんが「ちょっと分不相応じゃないの？」と渋い顔をしたほど高価な留袖《とめそで》をこしらえたのだった。でも父さんは、文句をつけようともしなかった。

水面下の家庭生活って、これほどすさまじいものだったのか。僕は悟りを開いたような心境だった。

「華やかな武勇伝は、いろいろあったようね」白いワンピースの彼女は言って、僕に笑いかけた。「でもねえ、坊や。お父さんが会社でモテるってことは、悪くないわよ。それだけ仕事ができるってことだもの」

僕は「ははは」と音だけで笑った。ほかにどうしようもないでしょうが。

「ただ、今までは、熱が冷めると、行雄さん、いつも奥さんのところへ帰ってたでしょう。それが、今度はちょっと様子が違うのよね。奥さんと別れて、あたしと結婚するって言い出してるの」

喉《のど》をごくりと震わせてから、母さんは言った。「わたしにも、それらしいことを言ってたわ。家を出たのも、そのためでしょう」

「そうなの。じゃ、話が早いわ」彼女は足を組み替えた。「実は、それで困ってるのよ」

「困ってる」

「そうなの」枝毛でも探すように髪の毛に触りながら、「あたしには、そんなつもりなかったもの。結婚なんて、まずいのよ」

母さんは僕のほうを見た。僕が正気を保っているかどうか確認するような仕草だったけれど、そういう母さんのほうが、目の焦点を失いかけていた。

「それでさ、ものは相談なんだけど」

浮き浮きと身を乗り出して、楽しそうに、彼女は言った。

「あたし、行雄さんを奥さんと坊やに返してあげるわ。うまいこと言って、説得してね。あなたやっぱり家庭を捨てちゃいけないわ、奥さんのもとに帰って、お願い。あたしはきれいに身を引きます――とかなんとか言っちゃって」

今度は僕が、母さんを見あげた。

やばい。切れかかってら。

「だからさ、どう、これで手を打たない？」と言って、彼女はパッと手のひらを広げた。

毎度おなじみ、指が五本だ。

「――どういう意味かしら？」歯の間から押し出すような、母さんの声。

「あら、決まってるじゃない。コレよ、これ」と、今度は指で丸をつくった。「五千万円で手を打つわ。て、ぎ、れ、きん。手切金よ。安いもんでしょ？　あなたがタナボタでもらったお金の十分の一じゃない」

母さん、切れた。完全に。


「それで、結局どうなったの？」

父さんの彼女がほうほうのていで逃げ帰ったあと、僕は島崎に電話をかけた。母さんは「頭を冷やしてくる」と言って、散歩に出ていった。

「〝要らなくなったら粗大ゴミで出しちゃえばいいわよ！〟だってさ」

「行雄さんを？　すげえな」

「怒って当然だけどどね」

「〝あんな男の一人や二人、欲しけりゃあげましょ、熨斗《のし》つけて〟ってな」

「これで完全にアウトかな……？」

「まだわかんないよ」

「だけどさあ」僕は受話器を握ったままベッドに寝転んだ。「父さん、相当数の前科があるようなんだよね」

「むむむ」

「病気だね。浮気病。これじゃ、もし僕が本当に澤村さんの子供で、母さんがそれを知ってて黙ってたのだとしても、責められないな……」

「それは、またちょっと別の問題だと思うけどね。だいいち、二人のうちのどっちの子供か、なんて、産んだ女の人にもわかんないんだから」

「ムム」

「大丈夫か？」

「うん。僕もずいぶん強くなった」それでも、少し声が小さくなってしまった。「なんか、申し訳ないような気がしたよ」

「聡子さんに？」

「うん。今まで、僕、何も知らなかったからね。母さんが父さんの浮気で苦しんでるなんて、全然気がつかなかった。今度のことがあるまでは、何も知らなかったんだ。まるで赤ん坊だよ。母さん、今までに何度も思ったんだって。お金さえあれば、子供と暮らしのことさえ考えなくていいならば、すぐにだって離婚するのにって。それなのに、僕は何も気づいてなかった」

「それでいいんじゃない？」島崎は笑った。

「おっぱいをもらってる赤ん坊が、お母さんを見上げて『面倒をおかけしてスミマセン』と謝ったという話は聞いたことがない」

僕らは爆笑した。笑いすぎて涙が出るほどに。

「なあ島崎、澤村さんは、母さんが父さんの浮気に苦しんでることを知ってたかしら」

島崎はすぐには答えなかった。「どうかなあ……」

「でも、遺贈を決める前に、母さんのこと、いろいろ調べたんじゃないかな。それなら、知ってた可能性もあるよ」

「知ってたらどうなる？」

「おまえが言ってた、〝澤村博打《ばくち》説〟さ。勝算が高くなると思わない？　母さん、お金を残してもらえたおかげで離婚ができる。現にそうなりつつあるよ。そのとき、僕に言うんじゃない？　いや、すぐには言わなくても、心には決めるだろうさ。〝雅男の本当の父親は、緒方行雄じゃない。澤村直晃だ〟——とね」

散歩に出かけてゆく前の母さんの、涙ぐんでいた横顔を思い出した。辛《つら》そうな、でも、奇妙にせいせいしたような表情を。

「調査のほう、少し休もう」と、島崎が言った。

「いいよ。ちょっと疲れたね。夏休みはまだまだ長いんだし」

「うん。それに、考えたんだ。昼間の話。ほら、別荘行きの」

「ああ、あれね」

「おまえさ、ぜひ行かせてもらえよ。それで、前川先生と直に話してみたらどうかと思うんだ。あの先生、きっと何か知ってる。それを聞き出すことができれば、うんと手間が省けるじゃないか。東京にいたら、先生と二人きりで膝詰《ひざづ》めで話すなんて無理だけど、別荘へ行けば、それもできるだろう」

僕は、前川先生の温和な顔を思い浮べてみた。「そうだね……そうしてみるか」

それで万事がはっきりしたら——と思うと、ちょっと恐い気もするけど。

「ひとつわかったことがあるんだ」僕は天井を見上げた。「僕、父さんの子であろうと、澤村さんの子であろうと、女たらしの血を引いてるな」

「モテると解釈したまえ、友よ」

玄関のドアが開く音がした。母さんだ。

「あ、帰ってきた。じゃ、またな」

「おい」

「うん？」

島崎は、彼にはめずらしく、しんみりとした声を出した。「これは受け売りのセリフだ。いつか、うちの親父が酔っ払って言ったことだから」

「なんだい？」

ひと呼吸おいて、彼は言った。

「子供はみんな、時代の子だよ」

――これは今でも、僕の座右の銘です。

4

週末に前川先生の別荘へ遊びにこないかって誘われてるんだけど――と、母さんが言い出したのは、その週の金曜日のことだった。

「明日から？　ずいぶん急だね」

「ええ、そうよ。もっと前から言っておけばよかったんだけど、母さんもいろいろゴタゴタしてて、うっかりしちゃったの。ごめんね。何か都合の悪いことがあるの？」

「ううん。べつに、かまわないよ」

新田さんから話を聞いていたことは伏せておかなければならないので、僕はそらとぼけて答えた。

「何泊ぐらいするの？」

「二泊よ。往復とも、先生の事務所の方が車で送ってくださるそうだから、楽ちんね」

「場所はどのへん？」

「上諏訪だって。湖のそばだし、温泉もあるんだってよ」

夕食のあとのことで、母さんは流しで皿を洗っていた。その手を止め、出しっぱなしにした水に手の甲を打たせながら、ちょっと考えてから、続けて言った。

「雅男、ただ、母さんね、明日ちょっとお父さんに会ってから行こうと思ってるんだけど……」

ソファに寝転がってテレビを観ていた僕は、起き上がった。

「何か話があるの？」

「うん……。このあいだの女の人とのこともあるしね。あれからウンともスンとも言ってこないでしょ。気になるのよ」

「なにも明日じゃなくてもいいじゃない？」

「でも、会社が休みのときでないと、お父さん、つかまらないでしょう」蛇口をひねって水を止め、母さんは僕を振り向いた。「実は、昨日、会社で父さんと親しくしてる人から電話があってね。どうやら父さん、ホントにあの女の人と別れたらしいの」

知らないあいだに、僕は顔をしかめていたらしい。母さんはかすかに笑って、言った。

「そんな顔するもんじゃないの」

僕は、あのガラテアさんの顔や言葉つきを思い出していたのだ。僕らから一銭も獲《と》れそうにないとわかったので、彼女、即座に父さんを追い出したのかしら。言い争いにならなかったのかしら。

「その情報、確かなの？」

「間違いないようだって。彼女のマンションを出て、うちへ帰って独りで暮らしてるみたいなの」

僕はテレビを消した。どっちみち、つまらないドラマだった。

「それで、母さんとしては、父さんと話し合いたいんだね？」

母さんは、エプロンの裾《すそ》で手を拭《ふ》きながら、肩をすくめた。「あんたは、母さんが父さんの様子を見に行くことに反対なのね？　仲直りなんて、してほしくないのね？　あんなひどいことを言われたから」

「ずるいなあ」

「何が？」

「ずるいよ。僕が〝うん、反対だ。もう別れてよ〟って言ったら、〝じゃあ、そうするわ。あんなひどい父さんとはもう二度と会わないからね〟なんて言うつもり？　僕は、母さんがどうしたいかを訊《き》いたんだよ」

母さんはちょっとびっくりしたように目を見開いた。それから言った。「母さんは——

まだ、どうしていいかわからないわ」

「そう。僕も、まだわかんないよ。ここ何週間かで、今まで知らなかったことをいっぱい知ったしね。すぐには答えが出てこないもん」

「……そうね」

「僕は、母さんがしたいようにすることに賛成だよ。だから、父さんのことが気になるなら、会って話してくればいいよ。僕がさっき〝明日じゃなくてもいいんじゃない？〟と言ったのは、旅行に出る前じゃせわしないから、帰ってきてからにすればいいんじゃないかと思ったからで、父さんに会って欲しくないから、そう言ったっていうわけじゃないよ」

母さんは、パチパチまばたきしているだけで、黙っている。

思わず言葉が強くなったのは、ここ何日間かずっと考え続けていたことが、頭の奥でうずうずしていたからだった。そのことで、ちょっぴり怒ってもいたからだった。

父さんの浮気病のことを話したとき、母さんが、「子供のことさえ考えなかったら、とっくに離婚していた」と言った――そのことで、僕はすごく申し訳ないような気分になった。何も知らなくて、面目ないような気がした。それはそれで良かったのだろうけど、一方では、だんだん腹が立ってきたのだ。

なんでも僕のせいにしないでよ、と思ったから。僕のために我慢してるんだって言わないでよ、とね。

「僕も、父さんに会いに行きたくなったら、自分で考えて、そうするよ」

母さんは目を伏せて床を見つめている。やがて、小さく言った。「ずいぶん生意気なことを言うようになったわねえ」

僕は黙っていた。ここで（ごめんなさい、もう二度と言いません）なんて言い出したら、振り出しに戻ってしまう。だけど、口を開いたら、そう言ってしまいそうな気がしたのだ。その方がずっと楽だから。

母さんはため息をつくと、洗い物に戻った。蛇口をひねり、水を出し、それから肩ごしに振り向いて、にこっと笑った。

「じゃ、明日、会いに行ってくるわ。先生の事務所の人には、母さんが帰るころを見計って迎えに来てくれるように頼んでおきましょうよ」

ほっとして、僕も笑った。やっぱり、これだけのことを言うには勇気が要るのだ。蛮勇を奮いがてら、僕はもうひとつつけ加えた。

「ねえ、母さん。怒らないで聞いてよ」

「今度はなあに？」

「父さんの様子を見にいったら、あの女の人が元気でいるかどうかも確かめてきたほうがいいよ。母さん、あの人の住んでるマンションがどこだか知ってるんでしょ？　調べたんだもの」

母さんは、両手を泡だらけにしたままキョトンとしている。ややあって、ちょっと語尾が裏返ったような声で、

「あんた、お父さんがあの女の人をどうにかしちゃったとでも思ってるの？」

「はずみってものがあるじゃない？」

あのガラテアさんの、即物的な割り切り方で一刀両断、ほなサイナラと叩《たた》きだされたら、彼女との結婚まで考えていた父さんがとり乱してしまう可能性は、大いにある。そのつもりがなくたって、口論がエスカレートしてもみあいになり、突き飛ばしたら運悪く彼女がテーブルの角で頭を打って——

サスペンスドラマの観すぎかな。でも、心配なのだ。父さん、どれほどにか自棄《やけ》になっているに違いないのだから。

「ねえ、まあちゃん」母さんが口の端を下げて、情けなさそうな顔で言った。「あんた、親のことを信用してないみたいねえ」

僕は心のなかで独りごちた。そうじゃないよ。ただ、どんな人間にでも、無条件で信用しきれない部分はあるってことさ。

へへ。僕、島崎に似てきましたか？

翌日、僕がダラダラと朝寝坊して起きてみると、母さんは出かけていた。無理もない、

もうお昼近くだったから。

　二時ごろになって、前川先生から電話がかかってきた。

「お母さんは、お出かけだね？」

「はい。母からは連絡がいってますか？」

「うん、昨日ね。私の方も、今日これから一件打ち合せがあるもので、夕方こちらを出ましょうかという話をしていたんだ。その方が涼しいし、道もすいているからね」

　今日も太陽が滅私奉公という感じで頑張っており、表はカンカン照りだ。

「迎えに出る前に、電話をするからね。待っているのは退屈かもしれないが」

「テレビゲームでもやってます」

　先生は笑った。「向こうには、そういうのはないからね。お母さんには二泊だと言ってあるが、私の家の者は向こうに残るし、気に入ったらしばらくいるといい」

「ありがとうございます」

　待っているあいだに、島崎のうちに電話をかけてみた。おばさんが出て、

「あら、雅男ちゃん、元気？」

「はい、元気です。あの、俊彦くんは？」

「ちょっと出かけてるみたいよ。あの子、何をやってんだろうねえ。うちにいたためしがないのよ」

へえ、なんだろう？　と思った。僕たちの調査はご覧のとおり休止中だし……。案外、デートだったりしてね。

「図書館じゃないですか」

「そんな殊勝なとこに行ってるかどうか、わかったもんじゃないね。えらく陽に焼けてるもの。まあ、いいか。雅男ちゃんのお父さんお母さんも、変わりない？」

いろいろ含みを持たせた質問かな？　と勘繰ったけれど、その必要はなかった。島崎のお母さんは、まわりくどい人ではない。

「このごろ、近所で雅男ちゃんのお母さんを見かけないからさ、どうしたのかなと思ってたのよ。周りがガヤガヤうるさかったから、身体でもこわしちゃったんじゃないかねえって心配してたの。元気なら良かったわ」

こんな言葉を、久しぶりに聞かせてもらった。嬉《うれ》しかった。

「まあ、いいこともあれば悪いこともあるからさ。また遊びにおいで。あんたも、この頃ちっとも顔を見せないじゃないの」

ときどき物干しからお邪魔して、おばさんには内緒で島崎の部屋に泊めてもらったりしたんですけどね、と思いつつ、僕は笑った。

「はあい」

ついでに頭も刈りに来なさいよ——と言って、おばさんは電話を切った。それとほとんど入れ替わりに、母さんが帰ってきた。

「父さん、どうだった？」

母さんは暑そうに手で顔を扇《あお》ぎながら、クーラーの設定温度を下げにいった。

「それが、いなかったの。うちのマンションに戻ってることは確かなようなんだけどね。洗濯物が干してあったから」

「出かけてたのかな？」

「そうみたい。土曜出勤かと思って、会社に電話してみたんだけど、違ってたわ」

今日はみんなお出かけ中か……。どこで時間をつぶしてるんだろう。うちの父さんは、ギャンブルのたぐいは一切しない。麻雀も、パチンコにさえ手を出したことがない。あの騒音で頭が痛くなるんだそうだ。ぶらぶら散歩に行くような人でもないし——

また、ワンショット・クラブかな、と思った。そこでまた、可愛《かわい》娘《こ》ちゃんとの出会いを期待して。

そんなことを考えるなんて、僕もけっこう人が悪くなったのかもしれない。いや、大人になったと言っておこうか。

「ごみ箱が一杯だったわ。溢《あふ》れそうになってたよ」独り言のように、母さんが言った。冷たい麦茶のグラスを持って、台所の流しにもたれている。

「うちに戻ったのは、ここ二、三日のことなのに？」

「ほかほか弁当の入れ物や、カップラーメンの器とか、そんなのばっかりだったから、かさばるのよ。あとはビールの空缶ね」

うちの父さんは、料理もしないのだ。掛け値なしにしない。面倒だと言って、インスタント・ラーメンをそのままかじっていたことさえある。

「栄養失調になっちゃうねえ」

これでますます、父さんの置かれている状況が切羽つまってきたようだ。何が惨めかと言って、食生活が貧しいことほど惨めなことはないでしょう。なんだか、僕のほうまで、びっしょり濡《ぬ》れた靴を履いているような気分になってきた。

「で、あの女の人は？　彼女はどうしてた？　元気だった？」

母さんは麦茶を飲み干し、グラスのなかの氷を口に含んで、がりりと噛《か》んだ。

「いなかったわ」

「彼女も留守？」

「うん。新聞が三日分ぐらい溜《た》まってた」

昨夜はまだ充分余裕を持って考えた説が、にわかに現実味を帯びてきた。あのガラテアさんがテーブルの角に頭をがつんと――いや、それとも首を絞められて――

三日分の新聞か。死体を部屋のなかに放り出してあれば、この暑さだもの、もう臭《にお》い始めてるよな。ぷうんと臭うはずだ。

「母さん、そこで変な臭いを感じなかった？　ものが腐るような臭いだよ」

母さんは呑気《のんき》に氷を嚙んでいる。「全然、なんにも」

じゃ、大丈夫だ。でも……父さんも、けっこうサスペンスドラマを観てたからな。死体を山のなかに運んで捨てるくらいの才覚はあるかもしれない。そうすると、車で出かけて、スコップを買って――いやいや、それだけじゃないかもしれない。前途に絶望した父さん、自分も死のうなんて考えて、でも死にきれないでどこかへ逃げてしまったかもしれない。あわてて埋めたから、ひょっとしたら、山中の死体はもう発見されてしまったかもしれない。現場にはくっきりとタイヤ痕《こん》。死体の身元はすぐにわかり、刑事がガラテアさんの友達に質問すると、友達は叫ぶ。「緒方さんがやったのよ！」

そこで刑事たちは色めき立つ。ひょっとしたら、ああ本当にひょっとしたら、刑事たちは、母さんと入違いでガラテアさんのマンションへ行き、今はこちらへ向かっているのかもしれない。そして今、僕が父さんのいるはずのうちへ電話をすると、聞いたこともないような男の声が対応するのかも。それは刑事で、電話のそばに張りついているのかも。

いきなり、頭の横っちょをピシャリと叩《たた》かれた。

「雅男ったら、何を考えてるのよ」

「母さん、ねえ、ひょっとしたら刑事が来るかもしれないよ」僕の想像力というサラブレッドは疾走に疾走を重ね、第四コーナーを回って直線に入り、鞭《むち》が入ってもう止めようがなくなっていた。「ほら、今にもドアチャイムが——」

ピンポーン、と鳴った。

僕と母さんは、蠟《ろう》人形の館の展示品のように凍りついた。たっぷり数秒間そうしていたあと、母さんが「ヒェッ」と声をあげた。

「どうしたの！」

喉《のど》をごくりとさせながら、「あんたが変なことばっかり言うから、氷を飲んじゃったじゃないの」

外国映画なら、ここで「ガッデム！」と叫ぶところだ。僕は椅子《いす》を飛び降りて、TVモニターをのぞきにいった。

「こんにちは。お迎えにきました」

牛乳ビンの底のような眼鏡をかけた顔が、愛想よろしくそう言った。

## 5

「お待たせして申し訳ありませんでした」

ハンドルを取りながら、新田さんはすまなそうな顔をしている。車はこの前のと同じような型で、色も白。乗り心地も、この前と同じように上等だった。

「先生の打ち合せが、思ったより長引きそうなんです。借地権の更新に関わるもめごとで、依頼人が、今日のうちにどうしても現地を見てくれって言って、きかないんですよ。まあ、こちらとしても、なにごとも依頼人次第ですから、仕方ないんですが。それで、僕がお二人を乗せて、一足先に行っていることになったんです」

「それはまあ、かえってこちらこそ」後部座席に座ったまま、母さんは丁寧に頭を下げた。

そのとき車が信号で停まったので、ちょっと滑稽《こっけい》な姿勢になった。

助手席の僕は、「なんでも好きな曲をかけていいよ」と言われたので、グラブ・コンパートメントのなかにあるカセットテープをあさっていた。洋楽、ジャパニーズロック、ユーミンもクワタバンドも、映画音楽の名曲選もある。

「それに、雅男がお世話になったことがあったなんて、わたしは全然存じませんで。お恥ずかしいです」

新田さんは照れ笑いをした。「いえいえ、たいしたことはなかったんですよ。方向が一緒だったから、一緒に帰ってきただけのことです」

新田さんに会ったことは厳重に伏せていたのに、僕ときたら本当にうかつだった。TVモニターのなかに、厳しい刑事の顔ではなく、親切そうな彼の顔を見付けたとたん、ほっと気が緩んで、

「なんだ、新田さんだよ」と言ってしまったのだ。

「新田さんて誰よ?」と、母さんは訊《き》いた。

「前川先生の助手の新田さんだよ。母さん、知ってるでしょ」

ところが、知らなかったのだった。結局僕は、島崎と二人、家まで送ってもらったことを白状する羽目になってしまった。もっとも、母さんは、初対面の新田さんにあいさつすることに忙しくて、僕たちがどうして西船橋にいたのかなんてことは、尋ねようともしなかった。

「ほかにもどなたか先にいらしてるんですか？」

「はい。先生のご家族が。諏訪湖からはちょっと距離があるけど、山の中腹だから眺めがいいし、きれいな別荘だそうですよ。まわりの別荘も、週末だからみんな人がいて、今夜は大きなガーデンパーティをやるんだとか聞いてます。バーベキューもあるらしいよ、雅男くん」

「楽しそうね」母さんが言って、シートに背中をもたせかけた。

「今、三時をすぎたところですからね」ダッシュボードの時計をちらりと見て、新田さんは言った。「順調に行けば、七時前には向こうに着きます」

バーベキューとはうれしいな、と思いながら、僕はまだテープをあれこれ選んでいた。こんなとき、僕は、日ごろ自分が聴いたことのない音楽から先にかけようとしてしまうので、時間がかかるのだ。

「これ、なんだろう。ロックかな」

ひとつを手にとって、新田さんにきいてみた。ラベルには几帳面《きちょうめん》な字体で「イーグルスBEST」と書いてある。

「それは、うん、ロックだよ。カリフォルニア・サウンドというのかな。夏っぽい感じだよ。そうか、雅男くんは、イーグルスなんて知らないもんな。彼らが解散したのは、僕が雅男くんぐらいのときだったから」

「じゃ、これかけてみていい？」

「いいとも。知ってる曲があるかもしれないよ。『ホテル・カリフォルニア』とか、『ならず者』とかね」

都内を出てしまうまで、車はぎくしゃくとしか進まない。でも、流れる音楽が、退屈を忘れさせてくれた。新田さんの言うとおり、何曲かは、耳にした覚えがあるものだった。でも、タイトルも、演奏しているバンドも知らなかったから、得をしたような気分になった。新しい曲が流れてくるたびに、僕は新田さんにタイトルを尋ねた。比較的優しい歌詞なので、ところどころは意味もわかる。

新田さんは、学生時代、このバンドがすごく好きだったのだそうだ。自分もちょこっとベースを弾いたりしたので、カバーバンドをつくったこともあったという。この度の強い眼鏡の裏側には、そういう顔が隠れていたのか。

「僕らは、てんで下手クソだったけどね」と、笑う。「このイーグルスのメンバーのなかに、ドン・ヘンリーやグレン・フライがいたんだよ。彼らのことはわかる？」

「グレン・フライって名前は聞いたことがあるような……」

「『ビバリーヒルズ・コップ』のなかの、『ヒート・イズ・オン』て曲を歌ってた」

「ホント？　あの歌かあ」

僕らがそんな話をしているあいだ、母さんは目を閉じて、うつらうつら眠っているようだった。

僕がとりわけ気に入ったのは、テープの最後のほうに流れてきた曲だった。初めて耳にする曲だったけれど、わざわざ繰り返して聴き、二度目には一緒に口ずさんだ。

夜が明けるまでに　誰かが心傷つくだろう
今夜はそんな夜
どうすることもできないさ
みんな誰かに愛されたくて
チャンスをつかみたがっているから
今夜はハートの傷む夜になるだろう
わかっているのさ
ハートの傷む夜に

月が輝いているから　さあ明かりを消そう

だいたい、そんな歌詞だった。

「この曲、好きみたいだね」新田さんが、前を向いたまま言った。

「うん。いい曲だね」

「僕も好きだよ。彼らが解散する直前のヒット曲でね。でも、いちばん好きなのは、やっぱり『ならず者』かな」

そこでリクエストにお応えし、「ならず者」をかけた。今度は新田さんが、曲にあわせて小さく口ずさんでいた。

相模湖《さがみこ》の近くで、一度トイレ休憩をとった。僕と母さんが車に戻ってくると、ちょうど、新田さんが紙コップに入った飲み物を手に、車のそばへ歩いてゆくところだった。

「アイスコーヒーにしましたけど、よかったですか?」

「ええ、もちろん。すみません」

母さんが手をのばし、その時、どうしたはずみにか受け取りそこねて、コップをひっくり返してしまった。褐色の液体が、ざばりという感じで、母さんと僕の胸もとにはねかかってきた。

「ひゃー、冷たい！」

「ごめん！　まあちゃん、大丈夫？」

母さんは大騒ぎでハンカチを取り出し、僕の着ていたTシャツをぬぐってくれたけど、あまり役にはたたなかった。

「着替えた方がよさそうですね」と、新田さんが言った。「エアコンで冷えると、風邪をひきますよ」

「そのようですねえ」

母さんの白いポロシャツも、衿《えり》から胸にかけて焦茶色に染まってしまっている。胸もとにイニシャルの入っているもので、まだ二、三回しか着ていないから、新品同様だ。

「染みになっちゃうかもしれないから、ざっと流したほうがいいわね」

新田さんがトランクを開け、荷物を取り出してくれたので、僕と母さんは、それぞれトイレまで逆戻りをして着替えを済ませた。戻ってきた母さんから、コーヒーと染み落としの水で濡れてしまったシャツを二枚受け取ると、

「ほかの荷物が濡《ぬ》れないように、うまくしまいましょう。ビニール袋がありますから。先に乗っててください」と、新田さんは言った。そして、ほとんど時間をかけずにトランクの蓋《ふた》を閉めると、運転席へ戻ってきた。

「さあ、じゃあ行きましょうか」

夏の日は長いけれど、甲府から韮崎《にらさき》をすぎるころには、さすがに空も黄昏《たそがれ》始めていた。夕陽に向かって走れという感じで、なかなか良い気分だった。

諏訪湖が近づくと、新田さんはときどき地図を気にするようになった。道路地図ではなく、別荘地の案内図だ。僕がそれを広げて、運転席の彼に見せた。なにか案内図からのコピーのようで、道順に赤いボールペンでしるしがつけてある。どうやら、僕たちがめざしているのは、〝上諏訪レイク・ビレッジ〟という別荘地のなかの、〝ウッディハウス〟という別荘のようだった。

「あと三十分ぐらいだよ」という新田さんの読みは正しく、左手に諏訪湖の湖面をちらと眺め、なだらかな山道を登り始めると、まもなく開けた場所に出た。丸太を組み合わせた看板に、「ようこそ上諏訪レイク・ビレッジへ」と書いてある。その脇《わき》に、別荘地内の案内図が掲げてあり、小さな踏み切りのようなゲートがあって、その端の小屋から、管理人さんらしい人が顔をのぞかせていた。

新田さんは車の窓からそちらを見上げ、「ウッディハウスへ行くんですが」と声をかけた。管理人さんはすぐに、

「ここを登って、最初の二またの道を右に行ってください。ゆっくり迂回《うかい》して山を登るようになってます。ここから十分ぐらいですよ」と説明し、なにやらボタンを押してゲートをあげてくれた。

その頃にはもう、山の森には夜の気配が降りてきていた。僕は窓を開け、湿った木立と下草と、不純物の少ない空気の匂《にお》いを味わった。車が登ってゆくにつれ、左手に光るものが見えたり隠れたりする。湖畔の温泉郷の光が、暗い湖に映って見えているのだった。

やがて前方に、唐突にそして夢でもみるように美しく、いくつもの提灯《ちょうちん》が揺れているのが見えてきた。盆踊りなんかのとは形が違って、もっと丸く、もっと明るい。それが、木立から木立、家の軒から軒へと渡されて、明るく輝いているのだった。

「きれいねえ……」母さんがため息混じりに言った。

「どうやら、パーティに間に合ったようだね」と、新田さんが言って、車の速度をうんと落とした。

ずいぶんと人が多い。とりわけ、子供の姿が目立つようだ。それも、いろいろな扮装《ふんそう》をしている。頭からシーツをかぶっていたり、ボール紙でできた角をつけていたり。ひらひらしたチュチュを着て、背中に薄い羽根をつけている女の子の姿も見かけた。

「仮装大会かな？」

「面白そうだね」

ウッディハウスは、別荘地のなかでもいちばん高い場所にあった。つまりはいちばん奥まっている。舗装された道は、ここで終わっていた。あとは森と、さらに高いところには空があるばかり。その空には星が輝き始め、お皿のような月が浮かんでいた。ぐっと背伸びして顔を近づければ、ちょうど鏡のように、月に顔を映すこともできそうだ。

名前のとおり、丸太を積み上げたような建物だった。三角屋根には、明かり取りの天窓が、並んで三つずつ開いている。煉瓦《れんが》を積み上げた四角い煙突があるところをみると、本物の暖炉が備えてあるのかもしれない。広いベランダには、ロッキングチェアが二脚並べて置かれ、その軒先にも提灯が揺れていた。

すべての窓から黄色い明かりがもれていた。そして、歌声が聞こえた。合唱だ。僕の知らない歌だったけれど、四つぐらいのパートに分かれて、きれいにハモッていた。

「あれ……」車から降りながら、新田さんが首をかしげた。「ここで間違いないよね？」

僕たちは二人で、もう一度さっきの地図を確認した。間違いはない。目をあげて、建物の入り口に通じている外階段の方をみると、その上がり口には〝ウッディハウス〟という表札があがっている。

「ちょっと待っててくださいね」と言い置いて、新田さんは建物のなかに入っていった。

母さんと僕は、車のそばで、あたりを見回しながら待っていた。

「素敵ね」と、母さんは微笑した。「なんだか夢みたい」

「日本にもこんな場所があるんだね」僕は笑った。「母さん、こういう別荘、欲しくならない？」

「あんたは欲しい？」

「うん、いいね」

「じゃ、買おうか」

そんなことを言って笑いあっていると、新田さんが戻ってきた。彼はちっとも笑っていなかった。それどころか、口元がかすかに引きつっていた。

「どうしましたの？」

ちらっと僕を見てから、母さんが尋ねた。新田さんは、困ったように首を振りながら、片手に持ったさっきの地図を、右向きにしたり左向きにしたり、挙げ句には逆さまにして見つめている。

「なにかあったの？」

僕が尋ねると、ようやく、観念したように顔をあげて、小さな声で言い出した。

「違うっていうんだ」

「え？」

新田さんは困惑しきった様子で、眼鏡の向こうでしきりとまばたきをしていた。

「違うって。前川さんなんていうご家族は、ここにいません。ここは別の人が借りているし、昨日からずっと滞在してる。なにかの間違いじゃありませんかって言うんですよ」

後手後手に回るときというのは、みんなそんなものなのだろうけれど、ウッディハウスの先客たちとさんざん話し合い、僕たちも知恵をしぼりあい、地図を検討しなおし、結局「別荘の管理会社がダブルブッキングしたんじゃありませんか」という結論に達したときには、もう、その管理会社の営業終了時刻をすぎてしまっていた。まあ、到着が遅かったこともあるのだけれど、これじゃあどうしようもない。

# 6

あわてて、あのゲートのところの管理人さんと話そうと駆け付けると、もう彼も帰ってしまったあとだった。「緊急連絡先」と書いて貼《は》りだしてある電話番号にかけてみても、「本日は営業を終了しました」というテープ録音されたメッセージが応答するだけ。

「こんなふうで、本当の緊急事態のときには、どうするつもりなのかしら」と、母さんが呆《あき》れ顔で言った。

もちろん、新田さんは、別荘内の電話を借りて、前川法律事務所にも、何度も電話をかけてみていた。ところがこれも通じない、という。

「誰も出ないや。もう向こうを出ちゃってるんです。こっちへ向かってるところですよ」

ほかの弁護士さんの自宅や、別荘行きに参加していないスタッフたちにも連絡してみたそうだけれど、進展はなかった。それも当然、東京にいるスタッフたちは、今新田さんが手元に持っている、あのコピーの地図と同じものを持っているのだそうだから。

「え？　違うの？　じゃあ、どうするの？　なんて、向こうもびっくりしてますよ」

苦々しい顔の新田さんに、母さんが優しく言った。

「そうカッカしないで。前川先生たちも、確かにここへ向かっているんでしょう？」

「ええ、そのはずです。他所《よそ》へ行こうとしても、行きようがないですよ。みんな、僕と同じこの地図を持って出ているんですから」

「じゃあ、待ってれば必ず合流できるじゃありませんか。とは言っても、ここで待っているわけにはいかないでしょうから、言伝《ことづ》てを頼んでおいて、わたしたちは湖畔の方で宿を探しましょうよ。明日になって管理会社と連絡がとれれば、すぐになんとかしてくれるでしょうから」

新田さんは疲れた顔で首うなだれ、「そうですね……。ホントに申し訳ありません」

ところが、言伝ての件をウッディハウスの先客に頼みに行くと、

「かまいませんから、こちらで待ってらしたらいかがですか。もうガーデンパーティも始まっているし、お夕食の時間でもありますから」と言われた。

説明が遅くなったけれど、先客は、個人の家庭ではなかった。横浜市の郊外にある「ひかりの家」という施設の一行だったのだ。先ほどの歌声は、十五人いるというここの子供たちが、今日のガーデンパーティで披露することになっている合唱のリハーサルをしてい

たのだった。

「わたしたちは、毎年一度、三日間、ここで移動教室をすることにしているんです。必ずウッディハウスを借りて。今年でもう四年目なんですよ。ですから、やはり、おたくさまの件は、管理会社の手違いでしょうね」

引率責任者だという、五十歳ぐらいの温和そうな女性が、僕たちに説明してくれた。差し出された名刺には、「ひかりの家　理事長代理　今里淑子」と書かれていた。

「わたくしのほかにも、教師たちが何人か来ておりますが、事情を説明しましたら、みんな、ここで待っていただいたらいいと申しております。なんでしたら、お泊りくださっても」

「いや、それでは……」

恐縮する新田さんに、今里さんは円い笑顔を見せた。「お部屋なら空いていますから。それに、とにかくお腹がおすきでしょう。湖畔の宿の手配なら、ここからでもできますし、まずお食事をして、休んだらいかがです？　あわてることはありませんよ」

そのとき、タイミングよく僕のお腹が鳴ったので、今里さんはぽんと手を打った。

「ほらねえ？　さあ、お入りくださいな」

どうしましょう……という顔の新田さんに、母さんが言った。

「おっしゃるとおりだと思うわ。お言葉に甘えさせてもらいましょうよ。ご面倒をおかけする点については、あとからちゃんとお礼をすればいいんだもの。あちこち動いてしまって、前川先生たちと行き違いになったら、また大変だもの」

僕もそれには全面的に賛成だった。それに、ホントに腹ぺこだった。

ガーデンパーティは、上諏訪レイク・ビレッジの別荘が合同で行なっているものだそうで、会費制だった。僕らは入り口で料金を払い、その分、楽な気分で空いているテーブルについた。

そういえば、今里さんをはじめ、集まっている人たちの誰一人、母さんの顔を見て、(あれ？　あれは五億円の人じゃない？)なんていう態度を示しはしなかった。それだけ、ひとつの話題が忘れ去られるスピードが速いということなのか。それとも、こういう別荘地で夏をすごそうという人たちは、みんなお金持ちだから、ああいう話題には興味がないのか。どっちにしろ、これも気楽なことには違いがない。

気楽そうな顔をしていないのは、新田さんだけだった。しょっちゅう中座しては電話をかけにゆく。責任を感じてしまっているらしい。母さんが宥《なだ》めても全然きかず、落ち着きのない表情を浮かべていた。

今里さんは、ずっと僕らと一緒にいてくれて、いろいろ世話を焼いてくれた。いい人だと思った。さらに、話を聞いてみると、今里さんの仕事は、世話好きで気持ちの優しい人でないと、できないことなのだろうとわかってきた。「ひかりの家」は、純粋に個人で営業している施設で、理事長は今里さんのご主人。十五年前に施設をオープンしたときは、自宅の一部を改装しただけで、経費の大半は持ち出しだったのだそうだ。

「そうすると、エリザベス・サンダース・ホームみたいなものですか？」

バーベキューの煙ごしに母さんが質問すると、今里さんは首を振った。

「いろいろと法律で規定があるので、わたくしどものところでは、まったく身寄りのないお子さんを預かるわけにはいかないんです。就学していない幼児もいけません。そういう子供たちは、国や自治体の管理の下に置かれてしまいますからね。うちでは、片親だけの子や、事情があって両親のどちらとも一緒に暮らせない子や、とにかく、一応は近親者がいる子供たちを、その近親者の依頼を受けて、一定期間だけお預かりするという形をとっています。ですから、お金もかかります」

「でも、それだけで、こんな手厚いことができますか？」

そのときちょうど、例の合唱を披露するために、ガーデンパーティの会場の中央にある舞台に整列し始めた子供たちを見つめながら、母さんが訊《き》いた。

今里さんは苦笑した。「それはやはり……台所は苦しいですね。でも、わたしたちの趣旨を理解してくださる篤志家の方がおられますから、寄付金をいただいて、なんとかやっているという形です。それがなければ、この夏の移動教室も、まず夢のまた夢でしょうねえ」

子供たちが舞台に整列すると、会場のテーブルのあちこちから一斉に拍手が起こった。ほとんどが、僕よりも年下の子供たちだ。

「毎年、うちの子供たちが劇や合唱をするのを、皆さん、楽しみに待っていてくださるんです」今里さんが、目を細め、ひときわ大きく手を叩《たた》きながら言った。

若い女の先生の合図で子供たちが一礼すると、また拍手が湧《わ》いた。やがて、伴奏の音楽が流れ始めた。「星に願いを」だった。

さっき見かけた、シーツやチュチュなどの扮装《ふんそう》の意味が、やっと僕にもわかってきた。合奏はメドレーで、すべてディズニー映画のテーマ曲や歌曲をアレンジしたものだった。歌の合間に、ちょっとしたミュージカル風の振り付けも入る。そのときのための衣装だったのだ。

三曲目の「小人のマーチ」が始まったとき、中座していた新田さんが席に戻ってきた。「全然電話が通じない」小さな声で言って、憂鬱《ゆううつ》そうな顔をした。

「仕方ないわよ。待ってれば前川先生たちが来ますって。それより、歌を聞いたら?」と、母さんがささやいた。

七曲のメドレーを歌い終わると、また「星に願いを」に戻った。チュチュを着て羽根を付けた女の子が、列の両側から一人ずつ出てきて、先端に金と銀の星のついたステッキを振りながら、ステップを踏み、前の方のテーブルを回って歩く。

妖精《ようせい》なんだ——とわかった。魔法をかけて歩いてるんだ。

歌が終わるのと同時に、彼女たちがポーズをとって、一段と盛大な拍手が湧いた。母さんも今里さんも新田さんも手を叩いていたけれど、僕は茫然《ぼうぜん》としているだけだった。見惚《みと》れてたのだ。向かって右の妖精の女の子が、あまりにも可愛《かわい》いので。母さんにつつかれるまで、いつのまにか、自分が頬杖《ほおづえ》をついていたことにさえ気がつかなかった。さぞかしトロンとした顔をしていたことだろう。僕は赤面した。

「いやあね、この子は。ニヤニヤして」母さんが笑っている。「誰を見てたの？」

「いいじゃない、そんなの」

あの子、小学校の五年か六年生ぐらいかな、と思った。お菓子でできてるみたいに見えた。名前はなんていうんだろう。

「右側の妖精をやった子かしら？」今里さんは目ざとい。「あの子なら、理恵ちゃんよ。うちでもいちばんの美人さん」

なるほど。むべなるかな、だ。

合唱が終わると、子供たちもテーブルについた。もっとも、もう食事はすませてあるのだそうで、ケーキとジュースが配られている。そういえば、もう九時をすぎていた。低学年の子供たちには、とっくに寝る時間なのだろう。

思ったとおり、三十分ほどすると、大人たちの拍手に送られて、子供たちは全員ウッディハウスの方へと引き上げていった。

「明日はハイキングの予定なんですよ」と、今里さんが言った。「だけど、部屋に引き上げてもなかなか眠らなくてね」

「当然ですよ。楽しいもの」母さんが笑った。

「枕投《まくらな》げをするのかしら。雅男、あんたも入れてもらったら？」

冗談じゃない。ただ……理恵ちゃんとならやってもいいかな。

相変わらず落ち着かない新田さんは、一人でイライラしている。腕時計を見ては、

「前川先生たち、遅いですね。もう着いてもいいころだ」

「そういえばそうね」さすがに気になってきたのか、母さんも同調した。「東京を出たというのは確かなんですか？」

「ええ、残っているスタッフに確認しましたから」

「じゃあ、来るはずよね……」

バーベキューの熱気で、新田さんの眼鏡が曇ってしまっている。その状態で憂い顔をしていても、おかしいだけだった。

「曇ってるよ」と忠告すると、

「え？」

「眼鏡ですよ」

「ああ、そうか」不精なことに、顔からはずさないまま、布巾《ふきん》でくるくるとレンズをぬぐった。「これでいいかい？」

そういえば、この人が眼鏡をはずしているところを見たことがなかった。しじゅうレンズを拭《ふ》いている島崎とは大違いだ。よほど、強い近視なのだろう。なんと言っても、あの分厚いレンズだもの。そういう人が眼鏡をとると、ひどく貧相に見えてしまうことがある。それが嫌だから、人前では絶対に素顔を見せないのかもしれない。

お腹がいっぱいになると、あくびが出てきた。待っていても、前川先生たちが到着する様子はない。新田さんは何度も席を立ち、電話をかけにゆく。そのたびに、頭を振りながら帰ってくる。

ちょっと気の毒なくらいだった。

「まさか、事故にでもあったとか……」

十時をすぎると、さすがに母さんも心配顔になってきた。でも、新田さんは、それにはかぶりを振った。

「それなら、残っているスタッフのところに連絡が入ってくるはずです。何事もない、電話一本ないというんだから」

「ねえ、地図を間違えたんじゃない？」と、僕は言ってみた。

「どういうことだい？」

「だから、前川先生たちが持っている地図と、新田さんが持ってる地図が違うんじゃないのかな。どこかで間違いがあって、地図が取り違っちゃったんだよ。で、僕たちはここへ来てしまったけど、先生たちは正しい場所へ向かってるんじゃないのかな。ウッディハウスなんて、別荘やペンションの名前としてはありふれてるもの」

「それはありそうね」と母さんに言われて、新田さんはますます面目なさそうな顔をした。肩を縮めている。

「気にしないで。新田さんのせいじゃありませんよ」母さんがあわててフォローしたけど、もう遅い。以後一時間ばかり、新田さんはべったりと電話のそばに張りついたままになってしまった。

僕も、一度様子を見にいった。電話は別荘の居間にある。一台だけで、傍らに、管理会社をはじめとするさまざまな連絡先やお店、救急病院など、必要な場所の電話番号を書いた一覧表が貼《は》りだしてあった。こんなところ、いかにも貸別荘らしい感じだ。

十一時をすぎて、ようやく、東京に残っているスタッフの一人から電話があった。最初のベルが鳴ったところで、新田さんが飛び付くように受話器を取り、

「もしもし？　ああ、佐藤さん？　先生から連絡があった？」と言ったので、それとわかったのだ。

早口のやりとりを続けるうちに、新田さんの表情がどんどんしぼんでいった。

「じゃ、やっぱり？　僕が間違えたのかなあ。え？　そんな方なの？　〝ウッドハウス〟？　ウッドハウスっていうのかい？　だけど、コピーをくれたのは佐藤さんじゃないの。え？　謝られたって困るよ――うん――うん――そうかあ、仕方ないね」

僕は母さんを呼びにいった。母さんはまだテーブルについていて、ワインなんか飲みながら夜空を見上げ、周囲の別荘客たちとおしゃべりをして、すっかりくつろいでいた。

二人で戻ってみると、新田さんは電話を終えていた。頭を抱えている。

「申し訳ありません。うちの手違いです」

「どういうことだったの？」

「事務の者が、管理会社から渡されたパンフレットをコピーするとき、間違ったらしいんですよ。前川先生の借りた別荘は、〝ウッドハウス〟というんです。同じ諏訪でも、山の反対側にあるんです。もっと湖の近くで、ここからだと一時間以上かかってしまう」

「それで、先生たちは無事に着いていらっしゃるの？」

「ええ、三十分ほど前に。それで、向こうでも大騒ぎしていたようです。僕らがいないって」

そりゃあ、そうだろう。そこへ、僕らが頭を寄せている様子に気づいたのか、今里さんがやってきた。「事情がわかりましたの？」

説明をすると、今里さんは喜んだ。「よかったわねえ。結局、みなさん無事だったんだし」

「はい、それはそうなんですが……」新田さんは一人、うなだれる。

「それで、どうなさいます？　これからそちらへ向かうのかしら」

「場所がわかったんですから、そういうことに……」

歯切れの悪い新田さんに、今里さんは優しく言った。

「今夜は無理に行かなくてもいいんじゃない？」

母さんは二人の顔を見比べている。今里さんと目が合うと、にこりと笑いあった。

「知らない土地で、山道の、それも夜道の運転は危ないですよ。遠慮なさることはないから、今夜はここにお泊りなさいな。向こうの皆さんには、電話しておけばいいでしょう。明日の昼間、ドライブがてらに行けばいいわ。大丈夫ですよ、こんなこと、笑い話だわ」

「そうね。わたしも、できたらそうしたいわ」と、母さんも笑顔で言った。「そんなにしょげないで。おかげで、今里さんや、ひかりの家の生徒さんたちとも知り合えたし、かえって楽しかったくらいよ。ねえ、雅男？」

急に話をふられたので、僕はびっくりしたけれど、母さんの意見には賛成だったので、うなずいた。

「そうか」頭をかきかき、新田さんは、やっと少しばかり肩の荷をおろしたような姿勢になった。「実を言うと、僕も、夜道の運転には自信がなかったんです」

「そう。じゃあ、決まりね」今里さんは立ち上がった。「二階の奥の部屋がひとつ空いてます。そこを緒方さんが使ってください。新田さんは、うちの先生の一人と相部屋でいいかしら」

新田さんは首をすくめた。「いや、僕はもう、そのへんのソファでいいです」

「そう遠慮しないで」笑いながら、今里さんは階段をあがっていった。

新田さんも、ようやく笑顔になった。「じゃあ僕、前川先生の方に連絡しておきます」

母さんが乗り出した。「わたしも出るわ。ご挨拶《あいさつ》しておかなきゃ」

「いや、いや、いいですよ」新田さんはうろたえた。「全部僕のせいなんですから。このうえ、緒方さんに謝られたら、僕、寿命が縮んじゃいます」

そのあわてぶり、恐縮の仕方がオーバーだったので、僕も母さんも吹き出してしまった。

「じゃあ、そうしましょうか。でも、そんなに気にしないで」

電話している新田さんの声を背中に、階段を上がりながら、僕は考えた。案外、前川先生は、スタッフにはすごく厳しい人なのかもしれないなあ——

まもなく、午前零時になるところだった。

## 7

お風呂《ふろ》を借りたあと、僕はベッドにもぐりこんだけれど、母さんは、また階下へ降りていった。今里さんに、「よろしかったらお茶でもいかが」と誘われたのだ。二人はえらく気が合ってしまったようだから、母さん、当分戻ってこないかもしれない。

疲れているはずなのに、なかなか寝付かれなかった。枕《まくら》が替わるとどうも……というほど神経質ではないし、部屋もベッドも上等だ。眠れないはずがないのに、どうも妙だった。ひょっとすると、理恵ちゃんのせいかしらん。

寝返りを打ってはつぶり、またしばらくして姿勢を変えてはため息をつく。そんなことをしているとき、ふと、小さな足音を聞きつけた。僕の部屋の前の廊下を、誰かが素早く走り抜けていったようだ。

ちょっと間をおいて、もう一度聞こえた。大人の足音じゃない。子供のだ。

この階にはあと三部屋あり、ひかりの家の子供たちが、五人ずつに分かれて宿泊していると、今里さんは言っていた。誰かがまだ起きていて、おしゃべりでもしているのかもしれない。

僕はベッドを滑り出ると、静かにドアを開けて首を出した。月明かりの差し込む廊下に、今は誰もいない。物音もしない。しばらく待ってみたけれど、夜半になって吹き始めた風のために、窓のそばの大きな楠《くすのき》の枝が、時折ガラスを撫《な》でる軽い音が聞こえるだけだった。

なんだ、と、いくぶんがっかりしたような気分で頭を引っ込めかけたとき、背後から誰かの手で肩を叩《たた》かれた。大きな声を出さなかったのは、驚かなかったからではなく、あまり驚いたので舌が縮んでしまったからだ。

振り向くと、大きな瞳《ひとみ》がまともに僕を見つめていた。月明かりの下、石けんでできているような白い頰《ほお》。そして実際に石けんの香りのする髪。

なんと、理恵ちゃんだった。

彼女はとても柔らかく、とても冷たい手をしていた。その手が僕に触ったのだ。ピンク色のギンガムチェックのパジャマを着て、足は裸足だ。そして、僕に触れていない方の手には、どうにも理解に苦しむものを持っていた。

割り箸《ばし》だ。それも、すでに割れている使用済みのヤツを一本だけ。

「ねえ、先生に言わないでね」と、彼女はささやいた。つまり彼女は、僕が足音を聞きつけて、子供たちが誰か起きているのだと知り、今里さんたちに報告しようとしているのだと考えているらしい。

「ねえ、言いつけないでよ。お願い」と、手をあわせるような格好までする。

「大丈夫だよ、そんなことしないよ」僕がそう答えたのは、当然のこと。

「よかった」と、彼女は笑顔になった。笑うと、少し歯並びが良くないことがわかったけれど、これはご愛敬《あいきよう》だった。かえって可愛《かわい》らしいくらいだ。

「それ、何に使うの？」

割り箸をさしてきいてみると、彼女はギュッと身を寄せてきて、ささやいた。

「コックリさんをするの!」

「コッ……クリさん?」僕はあがってしまって口がまわらない。たかが小学生の女の子じゃないかなんて言わないでください。それほど彼女は可愛いんだ。

「そうよ。やったことある?」

「……ない」

「じゃ、やろ! ね?」

理恵ちゃんは僕の手を引いて、隣の部屋へとつれていこうとした。

「ほかにもみんないるの?」

「うん。さっきまで怖い話をしてたの。そしたら、綾子ちゃんがコックリさんのやり方を知ってるっていうから、やってみようよ、って。それでね、あたしは割り箸を取りにいってきたの」

隣の部屋は、僕たちの部屋よりはだいぶ広いようだったけれど、簡易ベッドが五台入れてあるので、さすがにゆとりが少なかった。理恵ちゃんと同い年ぐらいの女の子が三人と、まだ小学校の三年生ぐらいの男の子が一人、ベッドを二台くっつけて、そのうえに寄り集まって座っている。天井の明かりは消してあり、サイドテーブルの上のランプの豆電球だけが点《つ》けられていた。

割り箸を手に、理恵ちゃんも嬉々《きき》としてベッドによじのぼる。僕は端の方に腰かけて、彼女たちが取り囲んでいるものを眺めた。スケッチブックを一枚破り、そこに鉛筆で描いたのだろう、五十音を書き並べた升目《ますめ》と、星みたいな形をした図形があった。

「連れてきちゃった。隣の子」と、理恵ちゃんはあっさり僕を紹介した。皆の中央に座っていたショートカットの女の子が——どうやら彼女が綾子ちゃんであるようだ——厳粛そのものという表情で、くちびるを引き締め僕に尋ねた。

「コックリさんを信じますか？」

小学校六年のときの移動教室で、夜、女子の何人かがこれをやっていたのを見たことがある。女の子は、寄り集まると、必ず一度はおばけ話とコックリさんに染まってしまうようだ。

こう尋ねられたら、「はい、信じます」と答えないと、仲間に入れてもらえない。だから僕はそうした。

「では、始めます。みんな、手を握りあうのよ」

僕の知っているやり方では、そんなことはしなくてもよかったのだけれど、隣にいる理恵ちゃんが、しかと手を握ってくれたので、抗議を申し入れないことにした。バージョン・アップしているのかもしれないしね。

「綾子ちゃん、早く！」と、せっかちな女の子が急《せ》かした。巫女《みこ》さん役の綾子ちゃんはおっとりとかまえ、

「みんな、星の形のところに息をかけちゃダメよ。そこにコックリさんがお座りになるんだから、失礼ですからね」

さっきの割り箸は、五十音を書いた升目の手前に、なにかを支点にして、斜めに置かれている。よく見ると、支点に使われているのはキャンディの包みだった。

綾子ちゃんはなにやらモゴモゴと呪文《じゅもん》めいたものを唱え、「コックリさんコックリさん、おいでください」とお願いした。真剣そのものだ。それから、そっと右手を持ちあげると、少し震え気味の人指し指を、割り箸の端に乗せた。

「コックリさん、この部屋にいますか？」

割り箸が震えた。

「この部屋にいますか？」

二度目に綾子ちゃんがそう囁《ささや》くと、割り箸の先がゆっくりと動きだし、升目のうえを移動して、最初に「は」を、次に「い」を指した。

みんなは一斉に息を呑《の》んだ。

「来てるわ」と、綾子ちゃんが囁く。「みんな、うしろを見ちゃダメよ」

綾子ちゃんはなかなかタレント性がある――などと考えて、僕はちょっとおかしくなった。大人はいつもひとくくりに、（大人になると、子供の純真な心を失くしてしまう）なんて言うけれど、子供にだって色々に段階があるわけで、中学一年生の僕はもう、小学生が持っている、コックリさんを信じて畏《おそ》れ敬う気持ちなど、ランドセルといっしょにどこかへ置き忘れてしまっているのだ。

「コックリさんコックリさん、わたしたちの質問にこたえてもらえますか」

また、割り箸が震えながら「はい」と指し示す。

「さっきジャンケンで決めたわね。最初は理恵ちゃんよ」

綾子ちゃんが声を殺して命令し、理恵ちゃんが僕の手を固く握り締めながら、前ににじり出た。割り箸の端に指を乗せる。

「コックリさん」喉《のど》を震わせながら、理恵ちゃんは呼びかけた。「あたしのママは、もうすぐ会いに来てくれますか？」

この質問は、僕に、ひかりの家の子供たちが置かれている立場を思い出させるものだった。不意に、ちくりと胸が痛んだ。

割り箸はすぐには動きださなかった。理恵ちゃんは、ためらいがちに、同じ質問を繰り返した。

コックリさんの割り箸を動かすのは、聞き手の心の力なのだ。無意識の願望が、手の先に伝わって、望んでいる答えを指し示す。僕の同級生の女の子たちは、「田中くんはあたしのこと好きですか？」なんて質問を投げては、いいように答えを出していた。

でも、理恵ちゃんの箸は、なかなか動かない。それは、彼女を囲んでいる環境の複雑な事情を、問わず語りに示していた。彼女のママは、たぶん、めったに会いに来てくれないのだろう。来られない理由があるのだろう。それを理恵ちゃんは知っているけれど、ママに会いたくてたまらないから、こうして質問を投げるのだ。

やがて、箸はゆっくり動き、「は」「い」を示した。理恵ちゃんの頰《ほお》がほころんだ。

次の子も、次の子も、投げる質問は、同じような種類のものだった。いつ家に帰れますか？　お母さんの病気はよくなりますか？　パパは今、どこにいますか――

ひかりの家は、この種の施設としては最高に恵まれたものだろうけれど、それでもみんな、家庭を恋しがっているのだった。

「ねえ、あんたはやらないの？」

理恵ちゃんにつつかれて、僕はハッとした。綾子ちゃんも僕を見つめている。

「なにかきかなきゃダメよ。みんなで質問して、みんなでお礼を言わなくちゃ、失礼だもの」

ダメ、の多い子だ。仕方がない。僕はちょっと考えた。そして――

僕の心が本当はどう思っているのか、確かめてみようと思った。箸のはじっこに指を乗せ、ひとつ息を吸いこむと、静かに訊《き》いた。

「僕の父親は、緒方行雄さんですか？」

理恵ちゃんがちょっと首をかしげた。なにか言いたそうだ。僕は口元だけでにっこりしてみせた。

「笑っちゃダメ！　ふまじめね」綾子ちゃんに叱《しか》られてしまった。

箸は動かない。僕自身の無意識にも、まだ答えがわからないのだろう。どちらを希望しているということも、すぐには判断がつかないのだろう。

緒方行雄か、澤村直晃か。

と、そのとき、自分ではちっともそんな気などなかったのに、滑るように箸が動きだした。そして綴《つづ》った。

「い」「い」「え」

いいえ。

自分のなかで、なにかがカチンと切り替わったような気がした。血の流れが方向を変えたような、心臓が場所を変えてしまったような。頬が火照るのを感じ、思わず口走っていた。

「じゃ、僕の父親は誰なんだよ？」

とたんに、綾子ちゃんが僕を、突き飛ばすような勢いで押し退《の》けた。

「一度にふたつの質問はダメ！　謝って！　謝らなきゃ！」

みんな大騒ぎをして収拾にかかった。綾子ちゃんがコックリさんに丁寧にお詫《わ》びをし、僕にも謝らせ、

「ありがとうございました、どうぞお帰りください」と言ったとき、廊下に新しい足音が聞こえた。今度は大人の足音だった。

子供たちはいっせいにベッドへ飛び込んだ。行き場のない僕は、ベッドの下へ隠れた。間一髪、部屋のドアが開き、今里さんの声が聞こえてきた。

「みんな、まだ起きてるの？　今、お話ししてたのは誰ですか？」

答えはない。わざとらしい寝息のコーラスがあるのみ。

やがて、そっとドアが閉じられた。僕がベッドの下から這《は》い出すと、綾子ちゃんの声が聞こえてきた。

「バカねえ、あんた、呪《のろ》われちゃうから」

僕は立ち上がってパジャマのしわを伸ばした。「そうかもしれないね。もし呪われたら、どうしたらいいのかな」

「よく謝って、お供えをすればいいのよ」

「ありがとう」

でも、呪いはもうとっくにかかっているのかもしれなかった。

急に喉が渇いてきて、水がほしくなった。階段を降りてゆくと、母さんに行きあった。

「あら、まだ起きてたの？　もう一時半をすぎてるのよ」

「喉が渇いて。それに、トイレ」

「階段を降りて、すぐ右側よ」

一階は、ところどころに小さな常夜灯が点《つ》けてあるだけで、もう人影はなかった。僕は用を足し、水を飲んで、でもすぐにはベッドに戻る気持ちになれなくて、居間の窓際に寄っていった。カーテンの隙間《すきま》から、外を眺めた。

提灯《ちょうちん》の灯も消され、別荘地ごと眠りのなかに沈んでいる。正面の門灯の明かりが、弱々しくさしかけているだけだ。森は暗く深く、夜と混じりあって果てしなく続いているように見えた。

しばらくそうしていると、身体が冷えてきた。くしゃみが出た。階上に戻ろうとして、気がついた。

そういえば、ここには電話がある。リビングの隅のテーブルの上に。

突然、無性に父さんの声が聞きたくなった。父さんに謝りたくなった。だけど文句も言ってやりたくなった。なんでこんなことになっちゃったんだよ！　と。

電話に近寄り、勢いよく受話器をあげると、うちの電話番号をプッシュした。呼び出し音が鳴り始める。「もしもし？」だけでもいい。それで切ってしまおう。どうしても父さんの声が欲しかった。

なかなか出てくれない。ベルは鳴り続ける。五回、七回、十回――

やっと、かちり、と受話器があがった。

でも、聞こえてきたのはまったく別人の声だった。父さんのものではない、低い男の声が、こう言った。

「はい、緒方です」

反射的に、僕は受話器を置いてしまった。誰だ？　誰が出たんだ？

今の今まで忘れていた、あのとんでもない考えが、力いっぱい投げたブーメランのように、いきなり舞い戻ってきて僕を直撃した。父さん？　今のは誰だよ？　父さん、本当にあのガラテアさんをどうかしちゃったのか？

それで刑事がうちに張り込んでるの？　今の声は刑事の声かい？　なんで父さんが出ないのさ？

胸苦しくなってきて、今度は窓を開けにいった。冷たい夜気が入りこんできて、僕を芯《しん》から震えあがらせた。

もう一度かけてみようか？　だけど……それでまた別人の声が出たら？

やっぱり東京ではなにか起こってるんだ。僕らの居所がわからないので、警察も困ってる。明日になったらすぐ連絡がついて、昇った朝日がそのまま砕けて頭の上に落ちてくることになる——

そのとき、僕はもう一度どきんとした。さっき流れの向きを変えた血液が、今もとに戻ったみたいに。

見たのだ。見るともなく目を向けていた外庭の大きな楠《くすのき》の下に、誰かが佇《たたず》んでいるのを。黒い人影が、こちらに半ば背を向けて。

いや、誰かが、じゃない。それが誰だか、一瞬のうちに、僕にはわかった。

澤村さんだ。

あのひょろ長い影。片手をポケットに入れて、わずかにうつむいたあの背中。あのグラビアで見た姿と寸分違わない。

僕は強くまばたきをし、次の瞬間にはベランダに躍り出ていた。つんのめるようにして手《て》摺《す》りにぶつかり、したたか膝《ひざ》を打ちつけた。痛さに声も出なかった。

楠の下には、もう誰もいなかった。眠っている夜をかき乱すのは、ただ僕の息遣いだけ……。

部屋に戻っても、結局一睡もしなかった。眠っていて見る夢も、起きていて出会う幻覚も、どちらも同じように不吉な色をしているのなら、眠りにはなんの意味もないから。

8

夜が明けると間もなく、僕はすぐにベッドを抜け出した。母さんは熟睡しているようだ。着替えて階下へ降りてゆくと、またくしゃみが飛び出した。夏だというのに、山の気温は低いのだ。水のなかにつかっているみたいだった。

身体はだるいけど、じっとしていられないような気分だった。かといって、また電話をかける勇気はわいてこない。どうしてもダメだ。電話のそばにいるだけで息苦しくなってくるほどだった。

だから、外へ出てみることにした。

運動靴に足をつっこんで、ステップをとんとんと飛び降りた。朝の早い人がいるのか、窓の開いている別荘もある。朝日のなかで見る提灯は、摘《つ》み取る時期を逃した果物みたいに、しけた感じでぶらさがっている。

ゆっくりと別荘地を抜けてゆく。足元に、昨夜のパーティの名残りの、紙コップや、ワインのコルクが落ちていた。それでもあまり興醒《きょうざ》めな感じを受けないのは、ここがバカンスの場所だからだろう。

途中で、大型のワゴン車が一台、ゆっくりと僕を追い越していった。男の人が二人、乗っていて、一人が「おはよう」と声をかけてくれた。僕もあいさつを返した。

二人とも、釣り人が着るようなベストをつけていた。諏訪湖で釣りでもするのかな。

見知らぬ人のあいさつは、少しだけ、僕の気持ちをよくしてくれた。

もう少し下ると、そこはもう、昨夜通過したゲートのそばだった。手で触れても動かない。ゲートの端にランプのついたボックスがあり、鍵穴《かぎあな》が開いていた。たぶん、今の車で通過した人たちは、キーを持っているのだろう。僕はもっと簡単に、ぴょんとジャンプして乗り越えた。

頭の上の高いところで、さまざまな鳥が鳴いている。空を見上げ、腕を振りあげ、強いて頭をからっぽにして、僕はてくてくと下っていった。

緩いカーブをひとつ曲がると、エンジン音が聞こえてきた。坂道の途中に車が一台停まっているのだ。シルバーグレイのスポーツカーで、運転席には誰もいないようだった。

車は、坂道の上の方に頭を向けて停まっている。うしろをぐるりと廻りこみ、運転席の側にゆくと、ドアが半開きになっていることに気づいた。キーも差したままだ。

不用心だなあ……と思いながら首をのばすと、助手席に、紙箱がひとつ置いてあるのが見えた。僕は普段、特別に物見高いほうではないのだけれど、これにはちょっと興味を惹《ひ》かれた。その箱の中身がなんであるか察しがついたからだ。

そっと蓋《ふた》を開けてみると、太めの口紅ぐらいの大きさのものが整列している。間違いない。やっぱりそうだった。

それは、散弾銃の装弾だった。白い紙ケースに詰められた、小さな鉛の弾。父さんの上司の三宅所長からいろいろ聞かせてもらっていたから、すぐにわかった。

銃はトランクのなかだろうな。このへん、猟場があるのかな？　でも、狩猟のシーズンは、もっと寒いときのはずだ。そうすると、射撃場があるのかもしれない。そういえば、さっき追い越していったワゴン車の二人組も、そのために朝早く出掛けていったのかもしれない。胸もとに装弾を差すポケットのついたベストは、釣り人のそれとよく似ているのだ。

　あたりを見回しても、この車の運転手が戻ってくる気配はない。ためらいはしたものの、結局は好奇心に負けて、僕は装弾をひとつ、そっと指でつまんで取り出してみた。

　話に聞いたかぎりでは、装弾のケースは、今、ほとんどプラスチックでできているという。でも、これは紙製だ。そうすると、〝手詰め〟ってヤツかな。凝り性の人は、火薬の量や散弾の数も自分で調節して、好みの弾をつくるのだという話も聞いていた。

　こんなものを置き去りにして車を離れるなんて、迂闊《うかつ》だなあと思った。僕は善良な少年だからいいけど、悪い人に出会ったら危ないよ、ホント。

　それとも、なにかあったのかしら。

　そのとき、ゲートの方向で、がちゃんがちゃんと音がした。誰かがゲートを開けているのだ。僕は急いで弾をもとへ戻そうとした。

　ところが、焦ったのが間違いのもと、足を踏み違えて、うしろへよろけてしまったのだ。そこは道の端で、背後は緩やかな崖《がけ》になり、五、六メートルほど下っている。わ、わ、わ、と声を呑んで、僕は尻餅《しりもち》をつきながら転がった。手には弾を持ったままだ。

　装弾を落としたら危ない！　と思ったから、弾を手放さないということのほうに神経がいっていた。幸い、身体が転がり落ちていった先は下草も柔らかく、頭をぶつけて怪我《けが》をするような岩も太い木立もなかった。雑木林というよりは、藪《やぶ》の親玉のようなもじゃもじゃした灌木《かんぼく》のなかへ頭をつっこんで、僕は停止した。

すぐに、頭の上の道路を走り抜けてゆく、車の音が聞こえてきた。また誰か出掛けていったのだ。それが充分に遠ざかってから、僕はゆっくり起き上がった。藪から顔を出し、足を引っこ抜いて立ちあがり――かけたところへ、今度は足音が近づいてきた。小走りに、ぐんぐん迫ってくる。僕は急いで頭を伏せ、また藪の陰に戻ろうとして、今度は両手がお留守になった。装弾が、手から擦り抜けてしまったのだ！

あの一瞬は、まるでスローモーションのようだった。僕は逐一、それを見ていた。僕の手を離れた弾が、緩い弧を描いて落ちてゆく。地面に――下草の上に――そうそう下草の――ところがよりによって小さく出っ張っている岩の角に向かって――

頭が停止してしまったようだった。あれには火薬が詰まっているのだ。雷管を強く叩《たた》けばばそれだけで爆発するのだと教えてもらった。岩の上に落ちたりしたら――

どかん！

僕は前後を忘れて身を伏せた。

しばらくすると、上の道路で、車のドアが閉まる音が聞こえてきた。続いてエンジンをふかす音。

爆発しなかったんだ。

見上げると、さっきのスポーツカーがバックして、方向転換を始めているところだった。僕は緩い崖の下から仰いでいるので、車の上の部分しか見ることができない。運転席にどんな人がいるのかもわからなかった。

車が大きくうしろへ下がり、向きを変える、車体そのものが視界から消えてしまった。やがて、心地よいエンジンのひと唸《うな》りを残して、スポーツカーは走り去っていったようだ。

僕は用心深く身を起こした。今度は弾を離さなかった。さっき爆発しなかったのは、運が良かったとしか思えない。

だけど、これ、どうしよう？

こんな危険なもの、持って歩くわけにはいかない。捨ててもいけない。何も知らない誰かが見つけて、「なんだ、これ？」なんて投げたりしたら、たいへんだ。鉛の散弾が飛び散って、思いもかけない大怪我をする。

野次馬根性を出すからこういうことになるのだ。とりあえず道路へとあがりながら、僕は辺りを見回した。水溜《みずたま》りか池でもあれば、そこに沈めてしまうのだけど――

少し下がったところに、崖の縁に沿って、ねじくれた感じの木が一本立っていた。さして太くはないけれど、あちこちに瘤《こぶ》ができて、うろも開いている。

このうろのなかに入れておけば、そのうち火薬が湿気《しけ》ってしまうだろう。他人に見つかる心配もない。よく注意して、最初にうろのなかを手で探ってから、そっと弾を落としこんだ。

やれやれ、だ。

身体についた土や草の葉を叩き落としながら、ウッディハウスまで戻っていった。ステップをあがってドアを開けると、コーヒーの香りがした。もう今里さんが起きていたのだ。

「あら、早いのねえ」と、笑顔を向けてくれた。「眠くないの？　そうか、お腹がすいちゃったのかしら」

僕は顔を洗い、今里さんが入れてくれたミルクコーヒーを飲んだ。

「このへんに、射撃をする場所があるんですか？」

「あら、よくわかるのね」今里さんは、感心したような顔をした。「湖の近くに、なんだっけ——クレイ射撃か、なんかそういうのをする場所があるのよ」

「やっぱり」

僕はワゴン車とすれ違ったことを話した。もう一台のスポーツカーのことは黙っていた。なんだか後ろめたかったのだ。

「ああ、そのワゴン車は、きっと、ここから四軒先の別荘の人のよ。ほら、てっぺんに風見鶏がついてる別荘。あそこの持ち主は、どこかの社長さんでね、射撃が趣味なんですって、外国にも行くらしいわよ。こっちに来ても、もう三日とあげずにそればっかりなんですって」

そんな話をしているうちに、ほかの先生たちも起きてきて、台所も居間もにぎやかになった。

母さんが起きてきたのは、七時半近くになってのことだった。

「おはようございます。あら、雅男はずいぶん早起きね」

「もう散歩もしてきたんですってよ」と、コーヒーを注ぎながら今里さんが言った。「お母さんがいちばんビリね」

母さんはまわりを見回した。「新田さんも起きてるの？」

「ええ、わたし、会いましたもの。すごく早かったわ。雅男ちゃんより早かったんじゃないかしら。もうちゃんと着替えて、眼鏡もかけてましたよ。ひょっとしたら、一睡もしなかったんじゃないのかしら。責任感じちゃって」

「気の小さい人ねえ」母さんが笑った。

今里さんは、新田さんと同室になった若い男の先生にも声をかけた。「ね、あの人、ちゃんと寝《やす》んでたようでした？」

若い先生は頭をかいた。「いやあ、僕はもうバタン、キューだったから……」

「どこへ行ったのかしら」と、母さんが見回す。

「散歩でしょう。雅男ちゃん、会わなかった？」

全然見かけなかったと、僕は答えた。

「まあ、そのうち戻るでしょうよ」

ところが、彼は戻ってこなかった。八時になっても、八時半を過ぎても。

もちろん、部屋にもいない。それどころか、建物の外に出て戻ってきた今里さんが、不安そうに眉《まゆ》をひそめながらこう言った。

「車もないわ」

母さんと僕は階上にあがり、彼の泊っていた部屋に入った。簡易ベッドで、ちょっと横になったような形跡はある。でも——

「雅男、バッグがないね」

そうなのだ。昨日、新田さんが下げていた小さなボストンバッグが見当らないのだ。

「ひょっとしたら、ほら、あっちへ行ってるんじゃない？　ウッドハウスの方へ。彼、すごく気にしてましたからねえ。とりあえず、報告に」

今里さんに言われて、僕は、今朝、あのスポーツカーが行ってしまう前に、もう一台別の車が走り去って行ったことを思い出した。あれが新田さんだったのかもしれない。

「それ、なん時ごろ？」

「よくわからないけど、……せいぜい六時をちょっと過ぎたくらいのときだよ」

「じゃ、それが新田さんで、むこうへ向かってるなら、もう着いてるころね」

母さんはウッドハウスへ電話をかけてみようとした。でも、「あら嫌だ、わたし、電話番号を知らないんだわ」

　昨日は連絡の一切を、新田さんに任せきりにしてたのだ。

　結局、管理会社の開く九時まで待って、まずそちらに電話をかけた。先方は、すぐにウッドハウスの番号を教えてくれた。弁護士の前川先生がそこを借りていることも確認できた。

　にぎやかに朝食をすませた子供たちは、ピクニックの支度をしている。その楽しそうな騒ぎを背中に、母さんは電話をかけた。僕もそばについていた。

「もしもし？　前川先生でいらっしゃいますか？」

　電話がつながったので、ほっとした。

「あ——先生の息子さんでいらっしゃいますか。まあ、失礼しました。わたしは緒方聡子です。このたびはお世話に——は？」

　そこで、母さんの表情が変わった。口元が緩んだと思うと、眉はひそめたまま、嫌らしい冗談を聞かされたときのような感じで吹き出したのだ。

「なんですって？　何をおっしゃってるんですか？」

　先方は、そばに立っている僕にも聞こえるほど大きな声を出している。母さんの応答はさっぱり要領を得ない。

「雅男は無事かって？　ええ、ここにいますよ——わたしも雅男も元気で——はあ？」

たまらなくなって、僕は受話器を受け取った。「もしもし？　僕、雅男ですが」

「君が雅男くん？　無事なんだね？　なんともないんだね？」

相手は、どう聞いても取り乱しているとしか思えない声でわめいている。

「はい、なんともないですよ。どうかしたんですか？」

「どうかしたって……いったいどうなってるのか知りたいのはこっちだよ」

前川先生の息子さんは、悲鳴のような声を出した。

「東京には電話した？」

「いいえ。だって――」

「いいから電話してごらん。早くかけるんだ。こっちも警察に報《しら》せるから」

「警察？」

思いもかけない単語に、まわりのみんなが耳をそばだてた。僕は大声を出していたらしい。支度を終えて居間に並んでいた子供たちさえも、びっくりしたような顔でこちらを見つめている。

理恵ちゃんの顔が見えた。心なしか心配そうだ。綾子ちゃんの、咎《とが》めるような視線も感じた。

ほら、やっぱりコックリさんの呪《のろ》いがかかってきた。

母さんの手が僕の手を握り締め、一緒に受話器に耳を当てる。

「いいかい、よく聞きなさい」前川先生の息子さんは、震えを抑えた声でこう言った。

「昨日の夕方から、君とお母さんは誘拐されてることになってたんだよ。君のお父さんのところに身代金の請求があって、東京じゃ一晩中大騒ぎをしてたんだよ！」

もしもこのとき、僕にその耳があったなら、最後のさいころが転がる音を、はっきりと聞くことができただろう。でも、実際には、ただ頭がワンワンしていただけだった。

しかも、さいころがとまってその目が出るのは、まだこれよりも、先のお話。

# PK戦

## 1

〝ようこそお帰り、混沌《こんとん》のなかへ〟

東京は、そんな台詞《せりふ》で僕たちを出迎えた。

帰路の半ばあたりで、東京から突っ走ってきた覆面パトカーに出会い、県警の車からそちらに乗り換えて、僕と母さんは帰ってきた。都内に入ると、頭の上でヘリコプターの音が聞こえ始めた。またまた、僕らはとんでもない騒動の中心人物になってしまったのだ。決して望んでいるわけじゃないのに。

担当の田村という警部さんは、島崎の喩《たと》えじゃないけれど、それこそ「狆《ちん》を踵《かかと》で踏ん付けたような顔」をしていた。小山のような体格で、声も恐ろしく太かった。警察にこういう人がウョウョしているとわかった以上、僕は絶対に非行少年にはなりません。

「まず、事情聴取をさせてください」と、田村警部は言った。「本来ならすぐにご主人に会わせてさしあげたいんですが、ご主人のほうも、今はまだ麻酔が切れてないようですから」

マスイがキレル――

頭のなかには小さな「受付係」がいて、外から持ち込まれる情報を受け取り、受領印を押し、それを分担係へと振り分けている。すべての作業はタキオンが飛ぶような速さでこなされているので、僕らは日頃、そのプロセスを意識することはない。こんなふうに、すぐにはどこに振り分けていいかわからない、馴染《なじ》みのない言葉にぶつからない限りは。

僕の頭のなかの受付係は「マスイがキレルんだって、どこの分担？」と騒いでいる。だから、すぐには何も感じなかった。

母さんはと見あげると、やっぱり空白の顔をしていた。頭のなかの受付係が「ただ今この窓口閉切」という表示を出して逃げてしまったみたいな感じ。

それから、その顔から徐々に血の気が引いていった。全自動洗濯機が排水のときランプを点滅させるみたいに、まぶただけをピクピク震わせて。

「主人、怪我《けが》をしたんですか？」

呟《つぶや》くようにそう言った。次に、大柄な警部さんの胸元にむしゃぶりつくように飛びかかっていきながら、大声をあげた。

「怪我したんですか？　どうして？　何があって主人がそんな目に？　怪我、ひどいんですか？　死ぬんですか？」

「まあまあ、奥さん、どうか落ち着いてください」

警部さんは大きな両手をあげ、横綱が慈善大相撲でちびっ子力士を扱うようにして、母さんの肩を押さえた。

「命に別状はありません。ちと崖《がけ》から落ちただけですわ」

「崖から落ちた？」母さんは目をむいた。「崖ですって？」

「たいしたことはありません。崖と言ったって、まああれはちょっとした二階家の高さくらいしかない——」

「二階家？」

「母さん」僕はたまらなくなって仲裁に入った。「お願いだから落ち着いてよ」

母さんは僕のことなど忘れている。さらに警部さんに詰め寄ると、

「二階家の高さから落ちたら、死ぬ人だっています。それを、落ちただけ？　だけとおっしゃいますの？」

「奥さん——」

警部さんは熱唱するドミンゴのように両手を広げて天を仰いだ。いえ、あの、ドミンゴ・ファンの皆さんごめんなさい。あの人はハンサムだもんね。

「誠に申し訳ない。失言でした。ご主人は足の骨を折って入院しておられます。今回の事

件での、ただ一人の尊い犠牲者ということになりますな」

「犠牲者？」

母さんの声が裏返った。僕は手で顔を履った。

「じゃ、主人は死んだんですね？」

いえいえ奥さん、今のはまた私の失言で――なんて、警部さんがあわてて訂正する前に、母さん、倒れちゃった。


というわけで、僕は、地元の警察署の一室で、一人、田村警部の話を聞いた。この刑事さんはチェーン・スモーカーで、そのためにきっと心臓が悪いのだろう、ひどく鼻息が荒かった。身動きするたびに椅子《いす》をみしみしいわせるし、猛牛と向きあってるみたいだ。僕は再度、心に決めた。神様、ボク絶対にグレません。

「まずは、そうだな。君から話してもらおうか。昨日から今日にかけて、どういうことがあったのか。あわてなくていいからね」

僕がつっかえつっかえしゃべりだし、警部さんがメモを取る。途中で話が前後したり、主語がはっきりしなくなったり、時間が混乱したりすると、そのたびに警部さんが巧《うま》く質問をはさんでくれて、こんがらがった糸をほどいてくれる。顔は恐いけど、そのテクニックだけを見てみると、悩み相談室のカウンセラーの先生みたいだった。

僕が話し終えると、警部さんは大きく息を吐いた。山になった灰皿の灰が、一斉に舞い上がる。僕のすぐうしろにいた刑事さんが、それをまともにかぶってしまって、激しく咳《せ》き込んだ。

「お、失敬」と言って、警部さんは大きな手で辺りを払った。「なるほど。よくわかったよ」

「危険なんて、全然感じませんでした」と、僕は言った。

本当にそうだった。僕が身の危険を感じたのは、あの装弾の一件のときだけだ。そして僕は、あのスポーツカーから散弾銃の弾を一個失敬してしまったことについては、しっかり口をつぐんでいた。あれはきっと、射撃場に向かう人の車だったのだろう。事件には関係ない。この警部さんに向かって、散弾銃の弾を盗みましたなんて、恐ろしくて話せない。

綾子ちゃんの口癖じゃないけれど、「絶対にダメ！」だ。

「だから、僕らが誘拐されていることになってて、身代金まで要求されてたなんて、すぐには信じられませんでした。今でもそうです。ホントなんですか？　悪戯《いたずら》電話じゃなかったんですか？」

警部さんはジロリと僕を見た。「悪戯じゃないよ。現に身代金は奪われた」

「いくらですか？」

「ちょうど五億円」と、うしろの刑事さんが答えた。田村警部は、ぺしゃんこの鼻の穴をふくらませてうなずいた。

「君のお母さんが遺贈を受けたのと同じ金額だね」

父さんのもとに最初の電話がかかってきたのは、昨夜の七時ごろのことだったという。ちょうど、僕と母さんが〝ウッディハウス〟に到着したころだ。

「奥さんと子供の身柄はあずかっている。警察には報《しら》せず、大至急金を用意しろ。現金で五億円だ、ないとは言わせないぞ——とまあ、こんな程度の内容だったそうだ」

男の声だったという。

「でも、近ごろじゃ、ボイス・チェンジャーが簡単に手に入るからね。このあと二回、同じ人物から電話がかかってきてるんだが、その録音を声紋分析にかけると、どうやらこいつは女性らしいとわかった」

「声を変えてても、わかるんですか？」

「わかるとも。警察は頭いいんだぞ」

顔はいいとは限らないみたいだけど……

「それでだな」煙草をけむらせながら、警部さんは続けた。「君のお父さんは、すぐに我々に通報してきた。市民として、きわめて正しい態度だな。そこで午後七時四十八分、我々、特殊犯罪捜査班が、二手に分かれて臨場した」

近所の人たちに悟られないために、警部さんは、二人の部下といっしょに、配管掃除業者に変装してやってきたのだそうだ。これはあとで、ほかの刑事さんに教えてもらった。本人からじかに聞かされなくてよかった。吹き出しちゃうところだったもの。

「次の電話は、午後八時三十分ちょうどにかかってきた。二人を人質にしている証拠を見せるというんだな。場所は、埼玉県南部の住宅造成地のなかだった。お父さん一人で来い、という要求だが、無論我々はひそかに尾行していった。午後十時二分、お父さんは証拠を発見し、それが君とお母さんのものであると確認したよ」

警部さんに言われる前に、その「証拠」がなんであるか、僕にはわかった。

「それ、僕のTシャツと母さんのポロシャツですね？」

警部さんは大きくうなずいた。

今ではもう、説明するまでもないでしょう。あの「新田さん」——僕らを迎えにきて、僕ら目的地を間違え、さかんに事務所に電話をかけ、夜道の運転に自信がないといって、僕らを一晩〝ウッディハウス〟に足止めしたあの「新田さん」は、もちろん偽者だった。本物の前川事務所の新田さんは、前川先生と行動を共にして、ずっと僕らの身を案じていたのだった。

つまり、あの「新田さん」が、誘拐犯の一人だったのだ。

「少し話を前に戻すと、お父さんのところに犯人から電話がかかってきたころ、前川先生の方でも、ウイークリー・マンションへ、君とお母さんを迎えに行って、二人が不在であることを知り、おかしいと騒ぎ始めていたところだったんだ。あの先生は、商売柄、すぐにピンときたようだね。まさか誘拐とは思わなかったものの、なにかあったと察したんだろう。ちゃんと約束していたのに、二人揃《そろ》っていなくなるのはおかしいものなあ」

　そこで、前川先生は父さんに連絡。ウイークリー・マンションの方へ駆け付けた警察がひそかに聞き込みをすると、近所の人が、午後三時ごろ、僕と母さんが若い男の運転する白い車で出かけてゆくのを見た、という。

「ここで我々も、これは悪戯ではない、本物だと判断したというわけさ」

　考えてみれば、おかしなところはあったのだ。昨日の電話で、前川先生は僕に、「夕方、こちらを出ましょう」と言っていた。それなのに、迎えの車は三時に来た。陽の短い真冬でも、午後三時を「夕方」とは呼ばないよね。

　僕たちが、あの「新田さん」にコロリとだまされたのは、以前に一度、僕が彼と会って、すっかり信用していたからだった。だから昨日、僕が（母さん、知らないの？）と言い、母さんが（知らない。初対面よ）と言ったときも、どちらも変だとは思わなかった。

「それが、この犯人連中の賢いところなんだ」と、田村警部は面白くなさそうに言った。

「おそらく、君たちを迎えにゆく役割をしたその男は、事前に君の信用を得るために、チャンスをうかがっていたんだろう。西船橋で出会ったのは、偶然じゃないよ」

　そして、僕らに話しかけ、車に乗せ、法律事務所の仕事の一端をさりげなく披露したりして、信用を勝ち得る。あの程度の知識なら、別に法律事務所で働いてなくたって得ることはできるし、前川先生の事務所の封筒など、その気になれば、手に入れるのは、それほど難しいことじゃない。

それでも、それがそこにあるということで、見せられた方は信じてしまう。ごくごく単純な心理的トリックってやつだ。

「君を騙《だま》してしまえば、あとは簡単だ。母親というのは、よほどのことがないかぎり、自分の子供に親切にしてくれた人間を疑ってかかったりしないものだからね」

誘拐の当日も、僕たちを車に乗せ、本来の目的地と違う場所へ向かって走りだしてしまえば、もう苦労はない。相模湖の近くの休憩所で、コーヒーをこぼしてシャツを着替えさせたのも、予定の行動だ。母さんの手に紙コップを手渡すとき、ちょっとタイミングをずらせば、簡単にできること。

「着替えたシャツをトランクに入れると言って、その実、近くにいた共犯者に渡したんだろう。あるいは、地面に落として拾わせたか——」

それがその夜十時すぎには、埼玉県の造成地に運ばれて、「誘拐」の証拠品となったのだ。

「証拠を見付けた君のお父さんは、銀行を叩《たた》き起こして、五億円全額を引き出した。こういう緊急の場合は、銀行も四の五の言わないからな。そして、犯人からの連絡を待った

―――」

こう書くとなんでもないけれど、現実には、この待機のあいだが修羅場だったのだそうだ。じりじり待つのが辛《つら》いのではなく、あいだにかかってくる、無関係の電話のためだった。

そうなのだ。父さんがうちのマンションに戻り、電話のコードを繋《つな》いだ途端、また悪戯や嫌がらせの電話が始まっていたのだった。それも、今まで、かけてもかけても呼び出し音が鳴るだけだった、その鬱憤《うっぷん》をはらすように、すさまじい頻度でかかってきたのだという。

「ベルが鳴るたびに、お父さんは飛び付く。悪戯だ。カッとして切る。またかかる。その繰り返しだ。しかも、そんな電話に出ているあいだ、本当の誘拐犯がかけていて、話し中であることに怒って、君やお母さんを殺してしまうかもしれない。そう思うと、お父さんは生きた心地がしなかったようだよ」

昨夜の午前一時半ごろ、僕がマンションに電話をかけたとき、父さんではなく、別の男の声が応えたのも、実はそのせいだったのだ。

僕がその話をすると、警部さんは大きな目玉を見開いて驚いた。僕、警部さんの顔の下に手のひらを差し出して、落ちてくる目玉を受けとめようかと思った。

「あれは君だったのか……。いや、あのとき、お父さんはめまいを起こして倒れていてね。

代わりに私が出たんだよ」

「あの声、警部さんの声だったんですか」

「そうだ。しかし君、どうしてあんな時刻に、急にお父さんに電話しようなんて思い立ったんだね？」

どうしようかなあ……本当のことを話そうかな……でも、話すと長くなるし面倒臭いし家族のプライバシーに関わることでもあるし——そんなふうに考えて、僕がためらっていると、警部さんは椅子《いす》のなかでむっくりと身体を起こし、くちびるを左右に広げて、にんまりと笑った。

そして僕に顔を近づけ、低音で言った。たったひと言。

「吐け」

僕は吐きました。あらいざらい。

僕が説明しているあいだ、警部さんはお腹のところで腕を組み、胸元に顎《あご》をうずめて、ずっと黙りこくっていた。話が進むにつれて、警部さんはますます強く腕を組み、しまいには大きな結び目みたいになってしまったので、僕はちょっと心配になった。

コックリさんとか幽霊の話とかに喜んで耳を傾けるのは、たいていの場合、女性と子供だ。男性だと、大のおとなでも、この手の話を嫌ったり避けたりする人が多い。警部さんも案外そのタイプの人なのかもしれないと思った。

「僕、幽霊を見たんだと言い切る自信はないんです。だけど……あの、大丈夫ですか？」

顔をしかめたまま、警部さんは目だけ動かして僕を見た。

「大丈夫とは？」

「警部さんです。こういう話、気味が悪いんでしょ？」

「なんでそう思う？」

「だって、さっきから自分でしっかり自分を抱き締めちゃってるんだもの」

警部さんは自分の腕を見おろした。鏡があったら見せてあげたいくらいだった。

「妙かね？」

「かなり」

「背中がかゆいんだ」まだ、同じ格好をしている。「背中のど真ん中。どっちの手を回しても届かねえ、クソ」

拍子抜けして、僕は思わず言っていた。「搔《か》いてあげましょうか」

僕は警部さんの椅子のうしろに廻り、上着の裾《すそ》からなかへ腕を突っ込んで、筋肉の盛り上がった背中のまん真ん中を、ホリホリ搔いてあげた。

警部さんは満足そうに唸《うな》った。「おお、いい気持ちだ。なんせ、事件続きでね。君たちの誘拐事件で呼び出されたときも、直前まで、ほかの件の捜査で飛び歩いてたんだよ。だから、今日で通算一週間はワイシャツを代えてない。背中もかゆくなるよなあ」

即座に僕は、掻くのをやめた。当然です。

「やあやあ、ありがとう」

椅子に落ち着きなおしながら、警部さんは言った。すっかりゆるんだ顔をしている。

「その幽霊の件は、気にせん方がいいな」

「見間違いだっていうんですか？」

「そうではないがね」

「幽霊なんているわけないって？」

「さあ、それはわからんが」

警部さんは真顔で首をひねった。

「そういう議論は、取り調べ室でするようなものじゃないからねえ。しかし、君の見た澤村直晃の幽霊は、彼の幽霊であった方がいいんだな。その方が辻褄《つじつま》があうんだな。そのとき、君が彼以外の、たとえば、そうだな死んだお祖父《じい》ちゃんの幽霊を見たんだとでも言ったら、それは困ったことになるからね」

さっぱりわからない。

「まあ、おいおいわかるさ」と、警部さんは一人で納得している。

昨夜の、あのときのことを思い出すと、僕は、凍った刷毛《はけ》で背中を撫《な》でられたような気分になる。だけど、それは妙なことでもあった。

だってそうでしょう？　澤村さんは、僕にとって、真の父親だったかもしれない人なんだ。それなのに、生前には顔を見たことさえなかった。だったら、幽霊だっていいからひと目会いたいと思うほうが自然なんじゃない？

「僕、人情に薄いのかな」

ぽつりとそう言ってしまった。すると、さすがは警部さん、その言葉の意味をちゃんと読んでいたようだった。

「幽霊を怖がったからかね？」

「……はい」

「そりゃ、当然さ。君が見たものの正体がなんであれ、君がそれを幽霊だと思った以上、怖がって当たり前だ」

僕は黙っていた。

「いいかね」と、警部さんは続けた。「死んだ人間がよみがえって現われたら、誰だって——生前どれほどその人間を愛してた者だって、驚いて恐れるよ。だから、死ぬということは哀しいんだ。だからみんな、死を恐れる。それは、忘れられてしまうということだからね」

顔をあげてみると、警部さんの大真面目《おおまじめ》な目がすぐそばにあった。

「だから、〝死ぬもの貧乏〟という言葉がある。わかるかな？」

「よろしい」とうなずき、「しかし、君も想像力の旺盛《おうせい》な子だね」

「はい」

「どうしてですか？」

「知らない男の声が応答したからって、一足飛びに、お父さんが愛人を殺して埋めちまって、それがバレたから刑事が駆けつけてきてるんじゃないかと勘繰るなんてなあ」

だけど、僕らの担任の先生は、「想像力こそ、人類を直立歩行させ進化させた力の源泉である」と言ってたよ。

「彼女は、今度の件には関係ないんですか？」

お金の勘定は早そうだけど、頭の大切な部分は弱そうなあの美女に、今度のような計画を立てられたわけがない。でも、一応尋ねてみた。

「実は我々も、真っ先に彼女の居所を調べたんだ」と、警部さんは答えた。「彼女が誘拐犯のチームに入っている可能性はきわめて高いと思ったからね」

「そうかなあ」

「まあ、蓋然性《がいぜんせい》だがね。君のお父さんと、不和で別れた愛人だ。しかも金にがっついてるときてる」

でも、彼女は無関係だった。四日前から日本にいないのだ。ヨーロッパ一周十日間の旅にお出かけで。

「べつの男と一緒だそうだ」と、警部さんが付け足した。

「素早いや」

「それもまた生活の知恵だ」

警部さんはまた椅子にそっくり返り、新しい煙草に火をつけ、その煙にむせてしまった。うしろの刑事さんが、心得顔で立ち上がり、隅のテーブルの上に置いてあるポットからお茶をついで差し出した。ついでに僕にも勧めてくれた。

「だけど警部さん。考えてみたら、昨夜の僕の電話、すごくきわどいものだったんですよね？」

「きわどいとは？」

「だって、もし僕があの時ひと言でもしゃべってたら、犯人たちの計画はおじゃんだったでしょう？」

警部さんは悔しそうだった。「まったくだよ」

さて、本当の犯人から、身代金受け渡しについての連絡があったのは、午前一時四十分のことだった。

「なんとまあ、その時刻に、金を宝石に替えろといってきたんだ」

「宝石？」

「きみは、〝ポセイドンの恩寵《おんちょう》〟を知っとるかい？」

あ！　と思った。

犯人は、ジャスト五億円で、あの〝ポセイドンの恩寵〟を買い取れと要求してきたのだった。あの、ババ抜きのババのようなワンセットは、今度も不吉な登場の仕方をした。

「幸い、あの『加賀美』という店は協力的でね。深夜にもかかわらず、快く店長が出てきてくれた」

最初のうち、加賀美の店長さんは、今はいろいろ事情があって五億円近くになっているが、もとは時価三億の品物だ、その値段でいいとまで言ってくれたそうだ。でも、警察はそれに反対した。

「犯人は〝五億で買い取れ〟と言ってきてる。それに、いったん宝石の形で受け取っておいて、今度はそれを、加賀美に対して、〝同額で買い戻せ〟と要求してくる可能性もあった。あんな有名な宝石、絶対にさばけんからな。そういう迷惑はかけられん」

父さんとしても、否やはなかったそうだ。

「受け渡し時刻は、電話で報《しら》せるという。宝石を入れたバッグには、蛍光塗料でしるしを付けておけという指示もあった。そして、君のお父さんが一人だけで、自動車電話つきの車に乗り、午前三時ちょうどに常磐《じょうばん》自動車道に入って、柏《かしわ》方面に向かって走れというんだ」

でも、実際には、柏まで行く必要はなかった。犯人から自動車電話に連絡があったのは午前三時十分すぎのこと。

「江戸川を渡る、ちょうど下花輪の辺りで車の速度を落とし、〝ポセイドンの恩寵〟を入れたバッグを、下に投げ落とせというんだな。〝どうせ警察の車が伴走してるんだろうから、車の流れを乱しても、事故を起こしたりしないだろう〟と言いやがった」

父さんは指示に従った。三十分後、また犯人から電話があって、

「人質は千葉の鋸山《のこぎりやま》に放置してきた、というんだ。我々も、お父さんも急行したよ。お父さんはまさに半狂乱だった。それで——」

捜索の途中、勢い余って崖《がけ》から落ちた。二、三メートルの高さだというけど、足を骨折してしまったらしい。

「おまけに蛇に嚙《か》まれてね」

「あんなところに蛇がいるんですか？」

「いるさ。藪《やぶ》がぼうぼうだもの。夜のことだから、お父さん、寝ている蛇の上に落ちたんじゃないか。まあ、毒蛇じゃなかったがね。青大将かなんかだろう。しかし、君のお父さんは、長いものが大嫌いだそうじゃないか」

骨折よりも、そっちの方で卒倒しかかったらしい。

警部さんはまだ話し続けていたけれど、僕はほとんど聞いていなかった。頭がいっぱいだったのだ。

父さん。

半狂乱で、僕と母さんを探し回ってくれた父さん。

そういえば、父さんも長いものが大嫌いだったんだ。忘れてたよ。

僕と同じだ。

「──腹が立つんだ、俺《おれ》は」と、警部さんが大声で言った。僕は我にかえった。

「は？」

「聞いてなかったのか？　がっちり検問を敷いて、現場付近を通行する車は根こそぎ調べたのに、〝ポセイドンの恩寵〟はかけらも出てこないんだ。まったく腹が立つ。この計画はよくできすぎとるよ。君らをさらうときも、わずかの時間差を巧みについているし……」

たしかに、犯人たちの行動には隙《すき》がない。こっちの状況をくまなく把握した上で動いている。

どきんとして、僕はくちびるを舐《な》めた。

「ひょっとして、前川先生が関係あると思ってるんですか？」

警部さんはむすりと答えた。「今、それを調べさせているところだ」

僕は、前川先生が拷問されているところを想像してしまった。でも、警部さんが言ってたのは、そういう意味じゃなかった。人を顔で判断しちゃいけません。

「その調査、時間がかかりますか？」

早く父さんと母さんの病院へ行きたかったので、きいてみた。すると警部さんは大きな手を振って、

「たいしてかからんよ。そのあいだに、君、飯を食わないかね？　どのみち、まだご両親には面会できないよ。せっかく警察に来たんだ。取り調べ室でカツ丼《どん》を食って帰らない手はない。貴重な経験だぞ」

「というより、それが貴重な経験になるような育ち方をしてもらいたいものですね」

ニコニコしながらそんなことを言って、うしろにいた刑事さんが席を離れ、出前を頼んでくれた。

警察のカツ丼は、ちょっとしょっぱかったです。

部下の刑事さんが、報告を持って戻ってきたのは、僕らが取り調べ室で食後のお茶を飲んでいるときだった。

「警部、やっぱりありました」

「そうか、ご苦労」

僕は恐る恐る訊《き》いた。「何があったんですか？」

「前川弁護士の事務所の電話機に――」警部さんは、煙草を点《つ》けた。「精密な盗聴器が」

犯人たちは、それを通して僕らとのやりとりを聞いていたのだ。だから、効率よく行動できた――

「前川先生は関係ないな。うちの連中がかまをかけてみても、まったく反応がなかったそうだから。盗聴器のことなど知らなかったんだろう」

むんずと煙草をもみ消すと、警部さんは唸《うな》った。

「しかし、気分が悪い」

「犯人、捕まります?」

「捕まえる!」と宣言し、また唸った。「捕まえるが、本当の黒幕は無理かもしれんな」

「どうして?」どんな黒幕でも、この警部さんが投降を呼びかけたら出てくるでしょう。

でも、田村警部は頑丈そうな頭を振っている。

「私の考えじゃ、この計画の立案者、本当の黒幕は、もう死んでいる人間だからだよ」

僕がその言葉の意味を尋ねようとしたとき、若い婦警さんが呼びにきて、

「雅男くん、お父さんとお母さんに会えるわよ」と言った。

その報せが届いたのは、僕が田村警部と病院に着き、父さんの病室に向かって歩き始めたときだった。息を切らした刑事さんが追い付いてきて、警部さんを呼び止め、興奮した口調で何やら話している。鬼瓦《おにがわら》みたいな顔でそれを聞き終えると、警部さんはひと言「わ

かった」と言った。そして僕を促した。

「どうしたんですか」

「けったくそ悪いぞ」と、鼻の穴を広げている。「嫌な予感が当たりやがった」

病室のドアを開けると、父さんと母さんが、そろって危篤状態の夫婦漫才師みたいな顔色で、父さんはベッドに身を起こし、母さんはその脇《わき》のスツールに腰かけていた。父さんは左足を吊《つ》り上げられている。

開口一番、警部さんは言った。「はらわたの煮えくり返るような報せが入りましたぞ」

「なんですか？」父さんはもがくようにして身を乗り出す。

怯《おび》えた顔の母さんにすり寄って、僕はささやいた。「平気だよ。この警部さん、顔は恐いけどいい人みたいだから」

ぎろりと僕らを見渡してから、田村警部は言った。「先ほど、タレントの安西真理の事務所から通報がありましてな」

安西真理？　考えて、僕は思い出した。ああ、あの〝ポセイドンの恩寵《おんちょう》〟を競っていた人だ。

「なんでも、声明文が届いたそうです。これが、故澤村直晃氏の直筆の文章のようで」

僕らは一様に目を見開いた。

「〝ポセイドンの恩寵〟は、小生が冥途《めいど》の土産にいただいてまいります。なにぶん、お気を悪くなさらないように——という内容だそうでして」

病室のなかに、沈黙が立ち籠《こ》めた。警部さんと同じくらい手強い沈黙が。

「なお、まったく同じ声明文が、安西真理と〝ポセイドンの恩寵〟を競り合っていた令嬢の自宅にも届いたそうでありますよ」と、腹立たしそうに、警部さんが付け足した。

ややあって、打撲で腫《は》れた頬《ほお》を押さえながら、父さんがつぶやいた。

「一体全体、どういうことです？」

この時の警部さんの説明に、あとからわかった事実を足してまとめると、こんな具合になる。

いわく、澤村直晃氏は、過去、何度かの厳しい仕手戦で、安西真理の夫である青年実業家を、こてんぱんにやっつけていたのだという。青年実業家は、この古狸の相場師に、何度も痛い目に合わされていたのだ。それも、今度こそ、澤村の鼻先からおいしい儲《もう》けを取り上げてやったと大喜び、そのご馳走《ちそう》を味わい始め、よくよく見ると、それはご馳走でもなんでもなく、なんと自分の舌《ベロ》でありました——というような、完膚なき敗戦を。

一方、安西真理と張り合っている令嬢のお父上、かの財界人も、数度に渡って澤村氏に足元をすくわれていた。おまけに、「企業人で株に手を出すのは欲惚《よくぼ》けの大馬鹿野郎だけだ」などと言われて、こちらもカンカンに腹を立てていたのだ。

だから、〝ポセイドンの恩寵〟を標的に、しのぎを削《けず》っていたこのお二人が、たったひとつだけ、共通して喜んだ出来事は、その澤村直晃が、まだ五十五歳という働き盛りで末期癌《がん》の床につき、自分たちより先に死んでくれたということだった。

「しかしまあ、澤村は、最後まで連中より一枚上手だったということですな」

警部さんの言葉に、母さんがぼうっとした顔をあげた。「じゃ、これは、最初からみんな澤村さんが仕組んだことだとおっしゃるんですか？」

「左様ですな」

「どうして？　なんであの人がこんなことをしなきゃならないんです？」

警部さんより先に、僕が答えた。もう、わかったのだ。

「それはね、母さん。お金だけじゃ、あの二人を出し抜いて、〝ポセイドンの恩寵〟を手に入れることはできなかったからだよ」

「そのとおり」と、警部さんが言った。

そうだった。そういうことなのだ。

〝ポセイドンの恩寵〟の争奪戦は、一般に知られるようになったのは最近のことだけれど、始まったのは去年の秋だ。事情通の澤村さんは、当然耳にしていただろう。そして彼は、ちょうどそのころ死病の宣告を受けて、自分にはもうあとがないことも知っていた。

だから、この計画を練ったのだ。金額の吊り上げ合戦に関わることなく、争う二人の鼻先から、〝ポセイドンの恩寵〟をかっさらってゆく計画を。

誘拐の身代金として要求された――そういう非常事態だったら、「加賀美」が売らないというわけがない。しかも代金は払うのだから、店にも持ち主にも迷惑をかけるわけではないのだ。

「手伝ったのは誰でしょうね？」僕は警部さんの大きなお腹を見上げた。「あの〝新田さん〟や、電話をしてきた女性は？」

「澤村の仲間だろうな」

確かに、実行部隊が澤村さんの手足にもなれる人たちだったなら、前川先生の動静を見張ることも簡単だ。でも――

「だけど、あの人は一匹狼だったはずでしょ？」

すると、警部さんは、妙に詩的なことを言った。「まったく独りきりで生きられる人間など、この世にはおらんよ」

「それはそうかもしれないけど、澤村さんには身寄りが――」

警部さんはニッと笑い、謎《なぞ》のようなことを言った。「現に、きみは幽霊を見たろう？」

「幽霊？」

問い返す母さんを軽く制止して、警部さんは続けた。

「そのことは、またいずれ。とにかく、あなたと息子さんを誘拐した連中は、澤村直晃とつるんでいたということになりますな」

あっけにとられたような沈黙のあと、父さんが呟《つぶや》いた。「じゃ、聡子は？　うちの女房の立場はどうなるんです？　金を遺贈されたのも、このためだったっていうんですか？」

言いにくそうに口を歪《ゆが》めて、田村警部が返事をした。「そのためでしょうな」

「そのためだけ？」

「ご主人、興奮されないほうがいい」

「そのためだけに？　利用されたんですか？　あんな大騒ぎに巻き込まれて？　誘拐沙汰《ざた》まで起こされて？　利用されただけですか？　そうなんですか？」

「あなた」母さんが、久しぶりに聞く優しい声で、父さんに呼び掛けた。「あなた、もういいわよ」

「よくない！」と、父さんは怒鳴った。「どこがいいんだ！　馬鹿に──馬鹿にしやがって──」

田村警部がじわっと移動して、ナースコールのボタンを押した。

「ご主人……」

「許せん！　こんなことが許せるか！」

「父さんてば」僕はそうっと言った。「ビリヤードみたいなもんだよ。僕ら、クッションに使われたんだ」

父さんは目を血走らせ、口をワナワナ震わせていた。

寄る。

「お気持ちはわかります。だが、興奮しない方がよろしいですぞ」と、警部さんがにじり

「ち、ち、ち――」

「ねえ、大丈夫？」と、僕は父さんをゆさぶった。でも、父さんの目は据わってしまっている。そして突如、

「畜生！」と、天井が抜けるような雄叫《おたけ》びをあげた。「ぶっ殺してやる！」

僕も警部さんも、その声に弾き飛ばされた。独り、微動だにしなかったのは母さんだけ。母さんは両手を膝《ひざ》に乗せたまま、黙ってじっと父さんを見つめていた。やがて、やっと聞こえる程度の小声で、こう言った。

「もう死んでる人よ」

父さんが母さんに向き直った。久しぶりに再会した人の顔を見つめるように、母さんを見つめた。そこに新しい発見が――良い発見があったことを確かめようとするかのように、ただじいっと目をこらして。

母さんは初めてほほえんだ。「もう死んでる人よ。とっくに死んでる」

とっくに死んでる。

そう呟くと、父さんの首にかじりついて、泣きだした。

田村警部の大きな手が、僕の頭に触った。僕は警部さんに連れられて、静かに病室をあとにした。

ロビーのベンチに並んで腰をおろし、僕と警部さんは、警部さんが買ってくれたコーヒー牛乳を飲みながら、黙って座っていた。しばらくして、警部さんが言った。

「胃潰瘍《いかいよう》で、医者にコーヒーを止められてね。こんなまがいものしか飲めんのよ」

「僕も、まだ、コーヒーは良くないって、母さんに言われてます」

「嫌だねえ。年をとると子供と同じになるという証拠だ」

でも、大きな警部さんが、小さなパックから、短いストローでコーヒー牛乳を飲んでいる姿は、ちょっと可愛《かわい》い。

「警部さん」

「なんだね」

「澤村さんは、嘘《うそ》をついたんですね」

「というと？」

「母さんへの恩なんて、全部嘘でしょ？　二十年前の、あの口約束のことだって、忘れてたんだ。五億円はなくなっちゃったんだし、ほかにお金は残ってない」

空になったパックを片手で握り潰《つぶ》し、近くのごみ箱へシュートしながら、警部さんは答えた。「必ずしもそうとは言えないよ」

「どうして？」

初めて、警部さんがニヤリと笑った。金歯が一本、まぶしく光る。

「銀行に預けていたあいだの、利息があるじゃないか。あれは君のお母さんのものだ。けっこうな額になっていると思うよ。もちろん、五億円にはほど遠いがね」

## 2

誘拐騒動で、心ならずもまた時の人となり、再びもみくちゃにされた僕たち一家三人だったけど、今度は結束を崩さなかった。

細かな事実は、後追いでだんだんわかってきた。

ひとつは、あの「新田さん」が、〝ウッディハウス〟からはまったく電話をかけていなかったということ。かけたふりをしてフックを押さえ、僕たちには独り芝居を見せていたのだ。通話記録がまったく残っていなかったのだから。

たった一度だけ、先方からかかってきた電話は、もちろん共犯の女性からだったのだろう。これは、都内の公衆電話からかけられたものだった。

僕と母さん、今里さんを初めとする「ひかりの家」のスタッフの人たち、そして島崎まで駆りだされて、「新田さん」のモンタージュ作成をした。ところが、全然はかどらない。

これが発見のふたつめだ。

「あの、度の強い眼鏡がミソだったんだよ」

と、島崎は言っている。

「あんな眼鏡、どうもおかしいなあとは思ったんだ。ちっともレンズを拭《ふ》こうとしないしね。伊達《だて》眼鏡だったんだよ。ほら、顔を出せない未成年者の写真なんか、目のところを隠すだろ？　あんなの意味ないように見えるけど、そうでもないんだ。本当の顔が、まるでわからなくなっちまう。印象が散漫になるんだよ」

警察のモンタージュ係の人も、同じように言っていた。なんとか似顔絵をこさえたものの、

「眼鏡をはずされると、すっかり人相が変わってしまうだろうねえ。君たち、道で会ってもわからないだろうよ」

ただし、たった一人だけ、ほんの一瞬ではあるけれど、彼の素顔を目撃していた人が現われた。ほかでもない、いさか荘の大家さんの孫娘、大松雅美さんだ。

「ニュースを見て、びっくりして飛んできたの」

そう言って駆け付けてくれた彼女は、あの日、僕と島崎を大宮駅まで送っていったとき、僕たちの方をじっと見つめている、若い男を見かけたのだという。

「やっぱり、君らの行動は見張られていたんだよ」と、田村警部が言った。「ヤツは声を

かける機会を狙《ねら》ってたんだ」

モンタージュづくりに協力した雅美さんは、ひどく困っていた。

「ホントに一瞬、チラッと見ただけなの。どんな顔だったかなんて、頭には残ってるけど、言葉じゃうまく説明できないわ」

警察からの帰り道、僕たちと一緒にかき氷を食べたとき、彼女はぽつんとこう言ったものだ。

「悪い感じの人じゃなかったわ。二十五、六歳ぐらいかな……ひょろっとしてて、やさ男で。でも、犯罪者のようには見えなかった。ホントよ、悪い人には見えなかったわ……」

雅美さんの視線に気付くと、彼はすぐに眼鏡をかけて、くるりと背中を向けてしまったそうだ。

だけど、雅美さんと目があった瞬間、ちらっと微笑したように見えた——という。そのことを語るとき、心なしか、雅美さんはうっとりしてた。

「やれやれ」と、あとで島崎が嘆いて言った。

「もう二十年たったら、今度は雅美さんが聡子さんみたいなことにならなきゃいいけど。女って、何で悪いヤツが好きなんだ？」

「おまえもちょっと悪くなってみたら？」

「嫌だよ。身を持ち崩したうえにまだモテなかったら、最悪だ」

けっこう、コンプレックスが強いんだよね。島崎くん。

その「新田さん」が僕と母さんを乗せた車は、二台とも偽造プレートをつけた盗難車だった。上諏訪行きの日の車は、事件の翌日の朝、都内の路上に乗り捨てられているのが発見された。もちろん、運転者を特定する手がかりになるようなものは、指紋ひとつも残されていなかったということは、言うまでもない。

彼は消えてしまった。きれいさっぱり。


〝ポセイドンの恩寵《おんちょう》〟も、依然、行方不明のままだ。受け渡し現場はともかくとして、獲得品を持ったまま、厳重な検問の敷かれていた現場付近を、犯人がどうやって抜け出したのか、その見当もついていないというのが現状だ。

もちろん、犯人の輪郭さえ見えていない。焦る警察とは逆に、安西真理と令嬢A子さんの演じていた見苦しい争奪戦に、いささか辟易《へきえき》していた世間の人たちは、この犯人たちに喝采《かっさい》を送ったりしている。

「三億円事件みたいになってきたな」と、島崎は言った。「誰のことも傷つけてない。完全犯罪だものな」

それに、心理的には傷ついたはずの僕の両親も、今、幸せそうな顔をして、二人で旧婚旅行の計画を練っている。だけどその資金は、貯金のなかから出すようだ。例の五億円の利息金を、父さんは、ある難民援助の団体に、そっくりそのまま寄付してしまった。母さんは、ニコニコしてそれを見ていた。

旧婚旅行には、僕も誘われたけど、遠慮することにした。だってその日は、ひかりの家のピクニックの日にちとぶつかっているんだもの。僕は招待されているのだ。

「島崎、おまえも行くか？　綾子ちゃんもけっこう可愛《かわい》いんだぞ」

「オレはロリコンじゃない」

ホント、嫌なヤツだよ。

あとひとつ、小さな謎《なぞ》が解決したことを報告しておかなくちゃいけない。

そう、〝たかい、たかい〟のことだ。

母さんが旅行会社に行っているとき、父さんと二人になれたので、僕はきいてみた。ねえ、昔、僕を〝たかい、たかい〟してくれたこと、ある？

すると父さんは、あたりをはばかるような顔をした。

「母さんには内緒だぞ。やってないことになってるんだから」

「……じゃ、あるの？」

「一度だけな。おまえがあんまり喜ぶから。だけど、それでまた腰痛がひどくなって、医者にこっぴどく叱《しか》られたんだ。会社も休んじまったし……だから、内緒だぞ」

## 3

さて。

これから先のお話は、言ってみれば、この一件のしめくくりだ。強化練習を無事生き延び、合宿が始まるまでのあいだに宿題のめどをつけなければならなくなった僕が、事件のこともそれに関わった人たちのことも、ほとんど気に掛けなくなったころ、風の吹き返しのようにふっと戻ってきた、最後の一章。

その日、僕と島崎は、ビデオで「ランボー」を観ていた。

僕は島崎のうちに遊びに行っていて、二人で宿題をやっつけていたのだ。ビデオ鑑賞はその息抜き。もっとも、仕事の合間にのぞきにやってくる島崎のおばさんは、

「あんたたち、息抜きばっかり熱心にやってるじゃない」と言っていた。

ともかく、「ランボー」の盛大な銃撃戦を観ているうちに、僕はひょいと思い出したのだ。あの、散弾の一件を。

だから僕は、何の気なく話をした。島崎にならしゃべっても心配ないから、包み隠さず、問題の弾を、木のうろに入れてきたことまでも、ちょっとスリルのある体験談として打ち明けたのだ。

すると、寝転がっていた島崎が、だんだん起き上がってきた。目が輝き、ほっぺたに血

が上ってきた。

「どうしたのさ？」

尋ねる僕にかまわず、じっと壁に視線を据えて考え込んでいる。こうなると、人形に話しかけているようなものだ。僕は彼を放っておいて、映画に集中した。

と、三十分ほどたって、今目が覚めたという感じでまばたきをしながら、島崎が言った。

「今日は何日だ？」

その日は八月十四日だった。

「十四日か——あと二日あるぞ。間に合うかもしれない」

「なんだよ？」

「おい、明日、上諏訪へ行こう」

「え？」

「その散弾を取りに行くんだよ。きっと困ってるはずだ。いや、困っていなくても、不思議がってはいるはずなんだ。行ってあげなくちゃ」

僕はまた、島崎の正気を疑った。

「僕——旅費がないよ」

「貸してやるよ。そこのブタの貯金箱を壊せよ」

「おまえ、こんなので金を貯めてるの？　らしくないねえ」

「うるさいな。単純な方法こそ真理に近いんだ」

島崎は、ブタの貯金箱に五万円も貯めていた。やっぱり正常じゃない。

でも、僕らはその旅費で上諏訪へ向かった。出掛ける口実は、今度もまた〝自由研究〟。日帰りの強行軍だ。

行きの特急のなかでも、島崎はだんまりを決め込んでいて、いったい何を思ってこんな旅行を企てたのか、少しも説明してくれようとしなかった。車内で、澤村さんもこんなタイプの人だったんじゃないかな――と思うような、ダンディな実業家ふうの男の人と隣り合わせて、

「君ら、二人だけで旅行かい？」

「そうなんです」

「どこまで行くの？」

「上諏訪までです」

「武田信玄の研究レポートでも書くのかな」

「エヘヘ……」

なあんて、僕がその人と、そのままJR東日本のポスターにしてもらえそうな場面を構成しつつ会話をかわしているあいだも、島崎は彼の念力で電車を走らせてるんだとでもい

うようなしかめ面を崩さず、窓の外ばっかり見つめていた。

駅からウッディハウスまでは、ヒッチハイクを試みた。ちょうど、別荘地へ配達に行くスーパーのトラックが通りかかったので、大いに助かったことだった。

「あんちゃんたち、別荘地に何しにいくの？」

Tシャツにダボパンツ姿のスーパーのおっちゃんが話しかけてきても、島崎はまだ沈黙の行者だ。しょうがないから、僕は答えた。

「僕らは湖畔の旅館に泊まってるんですけど、友達のうちは、上諏訪レイク・ビレッジに別荘を借りてるんです。で、遊びに行こうと思って」

スーパーのおっちゃんは、ふむふむとうなずいた。

「あんちゃんたち、友達をうらやましがって、自分の親父さんを甲斐性《かいしょう》なしだと思っちゃいけねえよ。今日日《きょうび》、まともな稼ぎ方をしてちゃ、別荘なんざ持てねえんだからな」

「はあい」

おっちゃん、僕は、ちょっと前までは、ああいう別荘のひとつやふたつ、ポンと買うことのできる、棚ぼた金持ちの一家の子供だったんだよ——そんな言葉が、喉元《のどもと》まで出かかった。でも、言わなかった。

記憶を掘りおこすまでもなく、あの木のうろは、すぐに見つかった。手をつっこむと、

「あった」

あの装弾が出てきた。すっかり湿気《しけ》っていたけれど、見た目には変わりがない。島崎はそれをポケットに入れ、僕を急《せ》き立てて山をおりた。またヒッチハイクを狙《ねら》う僕を、「軟弱だな。歩こう、歩こう」と急き立て、一人でやけに真剣な顔をしている。小鼻がちょっぴりふくらんでいた。怒っているのではない。ドキドキしているのだ。島崎は、めったなことで興奮したりしないから、これには僕も緊張した。

湖の岸辺でボートを借り、僕がオールをとって、真ん中あたりまで漕《こ》ぎだした。見上げれば、視界いっぱいに青空が広がっている。地球は丸いと、僕は思った。

「このへんでいいな」

島崎が言ったので、僕はオールを置いた。青みがかった灰色の湖水が、ボートの脇腹《わきばら》をひたひたと叩《たた》く。遠くに、大きな玩具《おもちゃ》みたいな白鳥の形をした遊覧船が浮かんでいて、対岸に向ってのんびり進んでいた。

島崎はポケットからあの装弾を取り出し、「ハンカチを広げてくれよ」

僕はズボンの尻《しり》ポケットからしわくちゃのハンカチを引っ張りだした。僕がそれをパンパンとはたいてのばしているあいだに、島崎は静かに切りだした。

「なあ、おまえはさ、最初にこれが爆発しなかったとき、〝運が良かった〟と思ったんだよな」

「そうだよ。本当にそうだもの」

「でも、オレはそうは思わない。岩の角にぶつかっても爆発しなかったのは——」

紙ケースを破り、広げたハンカチの上にコロコロした鉛の散弾をあける。パチンコ玉より少し小さいものが九つあった。

「弾が転がって失くなったりしないように、よく注意しててくれよ」

そう言いながら、次に、島崎は、空いたケースを分解し始めた。

僕は九つの鉛の玉をハンカチごと持ちあげ、膝《ひざ》の上に移動させた。それは賢明な処置だった。さっきの白鳥よりは近いところを、今度はカメの形をした遊覧船が横切ってゆき、少し遅れてから、その航跡が波になって僕らのボートを揺り動かしたのだ。

「ほら、見てみろよ」

島崎の声に、僕は彼の手元に目をやった。

そこに、火薬は入っていなかった。

「これは、偽物の弾なのさ」

「だけど、じゃあこの鉛の散弾は何だよ？」

「カモフラージュさ」と言いながら、島崎はそれをひとつずつ手にとって、重さを確かめ始めた。

「九つのうち、四つだ」

「何が四つ？」

「これぐらいの大きさで、色合いもこれに似てて、でも、途方もなく値段が高価《たか》いもの」

今度は僕がしかめ面をする番だった。

「なんの話だよ？」

島崎は気持ちよさそうに深呼吸すると、

「よく見てみたまえ、ワトスンくん」

と言って、選別した四つの鉛の玉を、手のひらに載せて差し出した。僕は、指先で鉛の玉をひとつつまみあげた。

表面はつるつると滑らかで、思いのほか美しい。これが危険な飛び道具の中身だなんて、すぐには思えないほどだ。それに、鉛ってこんなに軽いかなあ――

そこまで考えて、はっとした。

あまり驚いたので、僕は、無分別にもいきなり立ち上がりそうになった。島崎が泡を食って押さえてくれなかったら、ボートを引っ繰り返してしまったかもしれない。

「落ち着けよ」

「落ち着いてなんかいられないよ！」

「まあ、座れって。いいか、動かないでおとなしく座ってるんだぞ」

ボートの上で湖の波に揺られながら、島崎は彼の考えを話してくれた。信じられないようだけど、筋は通っていた。

「表面を傷つけずに取り出す方法は、オレたちにはわからない。このまま渡してあげなくちゃ」

僕は静かにうなずいた。

「うん。さあ、東京へ帰ろう」


翌日の八月十六日、僕と島崎は、あの水族園を訪れた。碧《あお》い海、強い風、そして今日は、たくさんの人出。

これもまた、島崎の提案だった。僕は黙って従った。余計な質問もしなかった。

きらめく海に目をやりながら、島崎はゆっくり歩いていく。遠く、東京ディズニーランドのシンデレラ城が、陽光の下に、ちゃちなプラモデルみたいに見えるのをぼんやりながめながら、僕も肩を並べて歩いた。

この前ここに来たのは、ちょうど一カ月前、七月十六日だった。

「きっと、来てる」

長蛇の列のうしろについて、忍耐強く待ったあと、入場券を買いながら、島崎がつぶやいた。

「きっと来てる。確信があるんだ」

「そうだね。きっと、ね」

僕らの勘は、僕らを裏切りはしなかった。大きなマグロの回遊槽の前に、大勢の見物客から少し離れ、まるで僕たちが来るのを知っていて待っていたというように、あの女《ひと》が立っていたのだ。

今日もまた、黒いスーツ。真珠のブローチに、淡い紅色の口紅だ。そのくちびるが、僕と島崎を認めて、かすかに微笑《ほほえ》んだ。

「また会えたわね、坊やたち」

マダム・水族館《アクアリウム》だった。

僕たちが彼女に近付くと、彼女も歩み寄ってきた。そして、あの日のように、代わりばんこに僕たちの頭に手を置いた。

「お渡しするものがあって来たんです」

まっすぐに彼女を見上げて、僕は切りだした。

「何かしら？」

「〝ポセイドンの恩寵《おんちよう》〟ワンセット百二十九粒のうち、失われていた四粒の黒真珠」

マダム・アクアリウムの切れ長の瞳《ひとみ》が、わずかに大きくなった。

「あなた方が持ってたの？」

僕も島崎も、厳粛な誓いをたてるようにして、うなずいた。僕は言った。

「あなたが、あの誘拐事件のもう一人の共犯者なんですね？」

人目を避けて、僕たち三人は護岸のほうまで降りて行った。ハイヒールを履いているマダム・アクアリウムは、僕らよりも少し足が遅い。彼女が追いついてくると、潮の匂《にお》いのなかに、あの日と同じ香水が薫った。

「あなたは、澤村さんをよく知ってたんですね？」

僕の質問に、彼女はかすかに笑みを浮かべた。

「さあ……あの人のことは、最後までよくわからなかったわ。だけど、付き合いは長かったわね」

「どれくらい？」

「……三十年近くになるかしら」

島崎と僕は顔を見合わせた。すると彼女は大きな笑顔を見せた。

「わたしは今年五十歳になったのよ。坊やたちから見たら、とんでもないおばあちゃんでしょうね」

とてもそんなふうには見えなかった。

「あの人と知合ったとき、私は二十一だった。聡子さんの二十一歳のときとは全然違うけど、わたしも若い娘ではあったの。澤村もまだ二十五歳。そうね、あの世界に爪先《つまさき》を突っ込んだばかりの、ほんの青二才だった」

護岸の手摺《てす》りに肘《ひじ》を乗せて、遠くを見ている。僕と島崎も、彼女の両脇《りょうわき》に、精一杯大人みたいなふりをしながら肘をついた。

頭の上の方から、強い陽射しと一緒に、水族園の大勢の見物客たちの声が、がやがやと混線しながら降ってくる。子供を呼ぶお母さんの声、若いカップルがふざけあうはしゃぎ声。

「おじいちゃん、こっち、こっち！」

「ねえ、写真とったぁ？」

「トイレどっち？」

「ママぁ、アイスクリーム食べたい」

しばらくして、マダム・アクアリウムはやっと口を開いた。かすかに微笑して。

「わたしたちは、二人揃《そろ》ってこういう場所にやってくるようなこともなかったの。そんな機会も、時間もなかった」

「澤村さんにも、あなたにも？」

僕が尋ねると、マダムはゆっくりうなずいた。

「わたしたち、一人ずつなら時間があったの。たっぷりと、自由に使える時間がね。だけど、二人揃うと、哀しいくらいいつも、忙《せわ》しない思いをしてた」

それがどういうことなのか、僕はよくわからなかった。好きな人と二人でいたら、時間も豊かになる――僕にとって、人生はまだ、そういう明るい見通しの上にだけ立って考えられるものだったから。

「一緒に生活した時期もあったし、一年も二年も、消息さえわからない時期もあった。おかしな関係だったけれど、わたしはそれで満足だった。束縛しあうのは嫌だったのよ。わかってもらえるかな」

島崎が言った。「わかります。あなたは、生きものを閉じこめるのは嫌いだと言ったから」

マダム・アクアリウムは、小さく笑った。

「ええ、そうなの。わたしはあの人に、ずっと自由でいてほしかった。どんなに気が気じゃなくても、心配でも、一度縛りつけてしまったら、あの人はあの人じゃなくなってしまう――そう思っていたから。だから、わたしも仕事を持って、自分の暮らしは自分で立てて、今まで生きてきたの」

細身の黒いスーツの裾《すそ》を、海風があおってゆく。きれいな膝小僧《ひざこぞう》がちらりとのぞき、僕はふっと、若いころのマダム・アクアリウムの姿を思い浮かべた。

この女《ひと》はきっと、澤村さんに負けないくらい、足が速かったのだ。タフだったのだ。だからあの人についていくことができた。何度見失っても、また探すことができた。

ずっと一緒に走ってくることができた。

彼女は僕らを振り向いた。「どうしてわかったの？　わたしが澤村の協力者だってこと……」

僕は島崎を振り向いた。見抜いたのは彼だったから。

島崎はゆっくりと口を開いた。

「あの日、一ヵ月前の今日、あなたに会って、〝またここで会えることがあるかもしれない〟って言われたときです」

「まあ……」

「ただその時は、まだはっきりとはしてなかった。ちゃんとわかったのは、今度の事件に女性の共犯者がいたことと、この犯人たちが、事前に緒方くんの行動を見張ってた――いや、見つめてたことがあるはずだと知ったときでした。それで、あなたの言葉を思い出したんです」

僕に説明してくれたとき、島崎は言った。この犯人たちには、悪意が感じられないよ……むしろ優しいくらいじゃないか、と。

「一ヵ月前にここで声をかけたときは、あなたたちとの再会がこんな形で実現するとは思っていなかったのよ」と、マダム・アクアリウムは言った。

「今日も、来てくれたらいいな……と、漠然と思ってただけ。でも、それだけで、どうしてわかったのかしら」

島崎は微笑した。急に大人びて見えた。ぶってる大人ではない、本物の大人。身体だけ大きい子供ではなく、肋骨《ろっこつ》の一本一本まで、爪《つめ》の先端まで大人になりきっている大人。

「今日も、先月の今日も、十六日。澤村さんの亡くなった日でしょう？　それにあなたは喪服を着てる。そして真珠を身につけてる」

マダム・アクアリウムは、つと手をあげてブローチに触れた。

今度は僕が、小さく言った。「あなたは、澤村さんの喪に服してるんですね」

マダム・アクアリウムは、くちびるをほころばせた。そして僕たちから目をそらした。たぶん、涙を見られたくなかったのだろうと思う。


あの日、マダム・アクアリウムが語ってくれた事件の真相を、こうして思い返してみると、僕は今でも心が騒ぐ。

江戸川の橋の下、下花輪に、〝ポセイドンの恩寵《おんちょう》〟を受け取りにいったのは、もちろん彼女だった。そして彼女は、警察の検問を切り抜けるために、現場から逃走すると、近くに予約していたビジネスホテルに逃げ込み、部屋のなかで百二十九粒の真珠をばらし、表面を軽くコーティングして、散弾銃の散弾に見せ掛け、手詰めの装弾に混ぜたのだ。そうやって持ち運んだから、あれ以降の厳しい検問を擦り抜けることができたのだった。

あの朝、上諏訪で散歩中の僕が見かけたシルバーグレイのスポーツカーは、彼女の車だったのだ。彼女はあのとき、「新田さん」に、計画が成功したことを告げ、すぐに逃亡するように報《しら》せるために、レイク・ビレッジに立ち寄っていたのだった。

そして彼女も、そのまま西へと向かった。

「わたしは仕事をしていると言ったでしょう。お店を持ってるの。神戸の元町に」

だから、上諏訪にちょっと寄り道して、あとはひたすら西へと走れば良かったのだ。

「新田さん」もまた、彼女からの報告を待っていた――

「あの近くには射撃場もあるし、わたしは猟銃の免許も持っているの。だから、あのアイディアはすぐに出てきたわ。最初は、澤村と暮らしているとき、その必要があるかもしれないと思って免許をとったんだけれど、実際には、あの人、わたしをそんなものが入り用になるような目には遭わせてくれなかったわ。それほど近くに寄らせてくれなかったのね」

だから、そういう点では、わたし、ずっと聡子さんに嫉妬《しっと》してたわよ――そう言った。

「あの人が危ない目にあったとき、近くに居合わせることができたんだものね。だけど、感謝もしてる。本当に深く。聡子さんがいなかったら、澤村はあそこで死んでいたでしょうから」

そもそも、〝ポセイドンの恩寵〟を、争奪戦のなかから掬《すく》い上げるというのは、彼女が言い出したことだった。

「わたしは今まで、なにひとつ、澤村に無理を言ったことがなかった。甘えたことがなかった。なにひとつ。だから、あの人がもう長くないとわかったとき、考えたの。ひとつくらい、最後にひとつくらい、わたしの我儘《わがまま》を聞いてもらおうとね。だから言ったのよ、ねえ、あたしのために、〝ポセイドンの恩寵〟を手に入れて——と」

お金は要らない。形見も要らない。あたしのために、あたしのためだけにあなたの頭を使って計画を練ってよ、と。

「それが去年の秋の終わりのこと。そのころ、澤村はもう、遺言を考えていた。そして——」

マダム・アクアリウムは、軽く身を屈《かが》め、僕の目のなかをのぞきこんだ。香水のかおりが強くなり、僕はクラッとしてしまった。

「雅男ちゃん」

この人に名前を呼ばれたのは、初めてだ。「はい」

「怒らないと約束してくれる？」

近くで見るマダム・アクアリウムの頰《ほお》があんまり白いので、瞳《ひとみ》があんまり深いので、僕はどうしていいかわからなくなってしまった。すると彼女は繰り返した。

「ねえ、怒らないと約束してくれる？」

「なにを——何をですか？」

「これからわたしが話すこと」

僕はカッコ悪いことに唾《つば》を飲み込み、どうしたらいいか教えてほしくて、島崎の方を見ようとした。でも、マダムがあまりにも近く屈みこんでいるので、島崎は彼女の陰に隠れてしまっていた。

「はい……」

ほかにどうしようもなく、僕は答えた。

「約束します」

「じゃ、指きり」

マダム・アクアリウムは右手の小指を差し出した。

僕たちは指きりをした。小指のなかには、心臓に直結する血管があるに違いない。その指きりで、僕とマダムとのあいだに、なにかが通いあった。マダムのなかにあったなにか淋《さび》しいものと、僕のなかにあったなにか子供っぽいものが。

子供はすぐに大人になれるわけじゃない。煉瓦《れんが》を積んで塔を建てるように、一日ごと、一時間ごとに積み上げられた経験が、喜びや悲しみが、子供を大人へと積み変えてゆく。そしてこのときの指きりは、僕が自分を大人へと積み変えてゆくための、大事な大事な要《かなめ》石《いし》となった。

「澤村はね」

指を離して身体を起こしながら、マダムは静かに言った。

「遺言をつくろうと決めたとき、真っ先にあなたのお母さんのことを思い出した。聡子さんとの約束のことを考えた。それで、彼女を探したの」

「探した？」

「ええ。方法はいろいろあるわ。そして、あまり手間取らずに彼女を見つけることができたの」

そのあたりのことは、以前に島崎と話し合ったことがある。澤村さんは、あんな遺言状を残す以上、現在の母さんの身の上について詳しく調べたに違いない。

だけど――

「ひとつ、教えてください。澤村さんは、大久保清の事件があったとき、母さんのことを心配してはいませんでしたか？　気にかけていてはくれませんでしたか？」

それを聞くと、マダムの顔がほころんだ。「まあ、どうしてそんなことまで知ってるの？　あなたたちは頭がいいのね」

「じゃ、あの事件に関連して、母さんの名前が誤って報道されたとき、澤村さんは――」

「気にしていたわ。だけど、いさか荘まで行ってみるゆとりがなくてね。その当時はまだ、それが原因で撃たれることになったトラブルを引きずっていたから、うかつに動けなかったの」

「じゃあ？」

マダムはすんなりした人差し指で自分の鼻の頭をさした。少女のような仕草だった。

「わたしが代わりに、いさか荘で聡子さんが元気にしているかどうか確かめにいったの。実を言うと、わたし、その当時は、ずいぶんと嫉妬したものよ。澤村があんまり気にするものだから。それに、聡子さんはとてもきれいで、可愛《かわい》い人だったから」

僕と島崎は顔と顔を見合わせ、目顔でうなずきあった。してみると、僕らの推測は、まったくはずれていたわけでもなかったのだ。

「話を邪魔してすみません。澤村さんは母さんを探した。見つけた。そして？」

次にマダムが言った言葉は、僕にはまったく予想外のものだった。

「そして、聡子さんに会ったの」

ちょっとのあいだ、頭が空白になった。海があまりにまぶしいので、目がくらんでしまったみたいになった。

マダム・アクアリウムの右手が、優しく僕の肩の上に置かれた。

「そうなの。会っていたの。もちろん、遺贈するお金を受け取ってもらえるかどうか尋ねるためにね。最初に電話で連絡をとったのはわたしだったけど、聡子さんは、澤村のことをよく覚えていてくれたわ。そして、澤村の入院している病院へやってきてくれたのよ」

母さんは、澤村さんと会っていたのだ。

「聡子さんは、今度の計画も、ことの次第も、すべて事前に知っていたの。彼女も協力してくれていたの」

僕の頭のなかの受付係は、あまりにも驚かされたので、とっさに窓口を閉めてしまった。だから、この事実を収めたまったく新しいファイルは、表紙をくっきりと僕の方に見せたまま、その場に置き去りにされてしまった。

母さんは、澤村さんと会っていた。

「君は、それほど驚いてないようね」

マダムの声に、僕はまばたきをして、自分の内側の事務処理室から、外の世界へと戻った。

マダムに「君」と呼びかけられたのは、島崎だった。たっぷり予習をしたあとで授業を聞いているときのように、何が起きても、いつ先生にあてられても準備はできているというように、穏やかな顔でマダムを見上げている。

「はい、驚きません」

「どうして?」

「そうじゃないかなと――今度のことを、聡子さんはすべて知っていたんじゃないかと思っていたからです」

僕はまたクラクラして、急いで頭のなかの受付係のところに戻った。「聡子は知っていた」と表紙にかかれた事実のファイル――

その中身には何が書かれているんだ？

気がつくと、島崎が僕のそばにやってきていた。

「オレが最初にそう考えたのは、おまえに内緒で、澤村さんが入院していた病院へ行ってみたときだったんだ」と、島崎は言った。

「僕に内緒で？　行ったのかい？」

島崎は少し申し訳なさそうにうなずいた。「黙っててごめん。ただ、オレ一人の方が、事実を客観的に見ることができると思ったんだ」

そのとき、僕は思い出した。島崎のお母さんが、彼が毎日出歩いていて、いやに健康そうに日焼けしていると言っていたことを。

そういうことだったのか……

「聞き込みなんかできない、すごく口の堅い、しっかりした病院だったよ。何度通っても、具体的なことなんかつかめなかった。もっとも、その時点じゃ、オレ自身も何を知りたいのかよくわかってなかったんだけど」

島崎は照れたように頭をかいた。マダム・アクアリウムが微笑しながら彼を見つめている。

「五回目か六回目に行ったときだったかな。親切な看護婦さんにあたってさ、トイレを借りたいって嘘《うそ》をついて、病院のなかに入れてもらうことができたんだ。で、正面玄関から中庭の方を見てみたとき、はっと思った」

そこに、黄色い地に白いふの入ったオシロイバナがたくさん咲いていたのだという。

僕のうちにあるオシロイバナだ。母さんがどこかから種を拾ってきて植え、ウイークリー・マンションに引っ越すときでさえ、枯れたら可哀相《かわいそう》だと言って、持っていった。

母さんは、あの種を、澤村さんの病院を訪ねたときに拾ったのだ。

「それに——」と、島崎は続けた。「事件の経過を考えてみると、どう見ても、聡子さんがすべてを知っていて、あの『新田さん』たち犯人グループに協力していたとしか思えなくなってきたんだ」

「僕らの行動を見ていて?」

「うん。だってそうだろ? おまえにも聡子さんにもまったく悟られないようにして誘拐するなんて、すごく危険なやり方だ。ウッディハウスに泊ったときだって、『新田さん』が前川先生の事務所に電話をかけているふりをしているとき、聡子さんが『ちょっと代わって。わたしも挨拶《あいさつ》します』と言い出さないという保証はなかった。もしそういうことになったら、口先だけで聡子さんを騙《だま》さなきゃならない。少しでも不審に思われて、聡子さんに『新田さん』に内緒で東京の前川事務所に電話を入れられたりしたら、もうそれでおしまいだ。危険すぎるよ」

今こうして考えてみれば、もっともだという気がする。

僕はマダムの瞳《ひとみ》を見上げた。

「それで、話を聞いた母さんはどうしたんですか？」

彼女が答える前に、もうひとつ重ねて訊《き》いた。

「いちばんわからないのは、母さんには、今度のような計画に加担して、どんな得があったのかっていうことです。母さんは、何を求めて、こんな誘拐ごっこに協力したんですか？」

マダム・アクアリウムは両手を組むと、軽く首をかしげた。

「澤村から遺贈の話を聞くと、聡子さんはひどく哀しそうな顔をしたわ」

「哀しそうな顔？」

「ええ。彼女は結婚して幸せに暮らしてるとばかり思っていたわたしも、澤村も、とても驚いた。それで、よく事情を聞いてみたら――」

今、まとまったお金をもらったりしたら、自分はまず間違いなく離婚することになるだろう――母さんは、そう言ったという。

「夫の浮気で、もうずっと苦しんでる。何度も別れようと思ったけど、できなかった。どうしてこんなことになるのかわからなくて、腹立たしくて、と。だけど、あたしに生活の心配がなくなったら、夫はきっと、あたしを捨てて出ていきます。また、逆に、お金が入ったことで夫が急にあたしに優しくなったとしても、それはそれで惨めなことになります……。聡子さんはそう言ったわ」

「だからお金はいただけません。お気持ちだけで結構です——

聡子さんが帰っていったあと、わたしは考えたの。考えて、考えて、考え抜いたわ」

そのときにはもう、〝ポセイドンの恩寵《おんちょう》〟を手にするための計画はできていたという。

「ウッディハウス」と「ひかりの家」の人たちを利用することも決まっていた。

「ひかりの家のことは、わたしが以前、あそこに寄付をしたことがあって知っていたのよ」

ただ、その計画のなかで五億円の遺贈を受け、狂言誘拐の標的とされるのは、当然のことながら僕たち一家ではなかった。別の家族が予定されていたのだ。

「澤村は、聡子さんにある程度の金額を遺贈したあと、残りをその家族に残して、それで大騒ぎを起こそうと計画していたの。その家族は、澤村のこういう計画に巻き込まれても仕方がない——彼からそういうしっぺ返しを受けても仕方のない立場にいた一家だった。名前は挙げられないけれど。わたしの言うこと、わかる？」

「はい、わかります」

「だけど、聡子さんの話を聞いたあと、わたしは考えたの。いやむしろ、今度の狂言誘拐には、聡子さんにこそ協力してもらった方がいいんじゃないかって」

そしてまず、それを澤村さんに話した。

「彼は気が進まないと言った。そこまではできない、とね。だけど、彼は男だし、わたしは女よ。聡子さんの気持ちがわかるのは、やっぱりわたしの方だわ。だから、もう一度聡子さんに来てもらって、そして話してみたの。頼んでみたの」

——聡子さん、大きな賭《か》けをして、ご主人の心が本当はどこにあるのか、試してみない？

「そして、聡子さんはそれに乗ってくれた。もしも子供が誘拐されたら、主人はどうするだろう。それをこの目で確かめてみたい。あの人が、あたしと子供と三人でつくる家庭のことなんか、もうどうでもいいと思っているのかどうか、あの人の心が本当にもうあたしから離れてしまっているのかどうか、それを確かめる、これは最初で最後のチャンスです——そう言ってね」

マダム・アクアリウムの静かな声が、僕の心のうちに染みいってきた。頭のなかの受付係が小さな窓口を開き、「聡子は知っていた」というファイルを読んでいる。

「ただ、それでも澤村は反対してた。聡子さんはともかく、雅男くんを傷つける——と言ってね。そしたら、聡子さんは言ったわ。いいえ、やらせてください。このまま放っておいたって、やっぱり雅男は傷つくことになる。同じ傷つくなら、せめて前向きでいたいから、とね」

母さんはすべて知っていた。知ってて、警察にさえもしらを切り通して、すべてを賭けていたのだった。

自分でも気づかないうちに、僕は口元を緩めて笑っていた。そして考えていた。

なんて大博打《おおばくち》だ。母さん、なんて危ない賭けをしたんだ。

澤村直晃は、やっぱり最後まで博打うちだった。それは忘れちゃいけない。彼は骨の髄まで博打うちだった。

だけど、彼の最後の大博打を、彼に代わってやりとげたのは、ほかでもない僕の母さんだった。そこで賭けられたのは、金じゃなかった。いつか島崎が言っていたような、澤村直晃という男の存在そのものでもなかった。

僕の父さんだった。

緒方行雄の心だった。

「下準備をすべて整えてから、前川先生を頼んだの。だから――」

先生がうちにやってきたときから、母さんの賭けは始まっていたのだ。そして、父さんが怪我《けが》をしたと聞いたとき、あんなにとり乱したのも、無理もないことだったのだ。

「さっきの約束を忘れないでね。聡子さんを怒っちゃいけないわよ」

マダム・アクアリウムが優しく言った。

「どんな親にも、生涯子供に話すことのできない秘密が、ひとつぐらいはあるものなの」

そう。だから僕は怒ってないよ、母さん。

臨海公園の出口で、僕らと別れるとき、マダム・アクアリウムは、彼女の名刺を二枚取り出し、それぞれ裏になにかをサラサラと書き付けて、僕と島崎とに手渡した。

「わたしの仕事は、デザイナーなの。衣服はもちろんだけど、宝石のデザインもしています」

微笑《ほほえ》んで、僕らを見比べた。

「これからきっと、ぐんぐん大きくなるんでしょうね。二人とも、大人になって、結婚したい女性が現われたら、その名刺を持って訪ねていらっしゃい。その日のために、〝ポセイドンの恩寵〟の真珠を一粒ずつとっておいて、指輪をつくってあげる」

名刺の裏には、「預かり証　最高級の黒真珠一粒　きたる日の記念の指輪のために」と書いてあった。

「〝ポセイドンの恩寵〟なんて名ばかりの、あんな不吉なワンセットは、失くなった方がいいの。わたしが全部つくりなおして、世の中に送り出すわ。それがこれからの、わたしの生きがいね」

マダム・アクアリウムは、あのシルバーグレイのスポーツカーに乗り込んだ。窓をおろし、片手を差し出して、僕たちの手を軽く握った。

そのとき唐突に、僕の頭に閃《ひらめ》いたことがあった。まるで脈絡がなく、でも強い確信を持って。思い出したのだ。田村警部が言った、謎《なぞ》のような言葉を。

(君の見た幽霊は、澤村直晃であった方がいい。辻褄《つじつま》があう)

(まったく独りきりで生きられる人間など、この世にはおらんよ)

窓枠に手を置いて、僕は言った。

「もう一人――僕と母さんと一緒にいてくれた、あの若い男の人は――」

マダム・アクアリウムは、僕を見上げた。

「あなたと澤村さんの息子さんだったんじゃありませんか?」

彼女はにっこりと笑った。彼女の心の窓に、これまでずっと降ろされていた最後の一枚の薄いカーテンが、涼しい音をたてて開かれたような気がした。

「あれは、わたしの息子よ。わたしがわたしだけの意志で産んだ子だし、戸籍の上でも、わたしだけの子供。めったに会えないの。ほとんど外国にばかり行ってるから」

そして、エンジンをかけ、ハンドルに手を乗せて、小さく言った。

「だけど、年々父親に似てくるわ」

車はゆっくりと動きだした。マダム・アクアリウムは、もう振り返らず、僕らを見ようとしなかった。

車が見えなくなってから、島崎が僕の肩をぽんと叩《たた》いた。僕は訊《き》いた。

「あの夜、ウッディハウスで僕が見た、澤村さんの幻影は――」

島崎はうなずいた。「うん、そうだよ。彼の息子だったんだ。『新田さん』だったのさ」

「知ってたんだな？」

「推測さ」

僕は大声で笑いたくなった。でも、声をあげて笑うと、今この胸の内側にいっぱいにたちこめている幸せな気分を吐き出してしまうことになりそうで、それがもったいなくて、ぐっと我慢をした。

埃《ほこり》っぽい駐車場に佇《たたず》んで、そのとき島崎が小さく呟《つぶや》いた言葉を、僕は今でもよく覚えている。

「ああいう〝家庭〟のつくり方も、あるんだな」

それきり、マダム・アクアリウムには会っていない。だけど、きっと彼女は黒真珠を磨き、生まれ変わらせていると思う。

だから、これを読んでいるあなたも、いつかどこかで、あるいは妖艶《ようえん》に、あるいは清楚《せいそ》に、あるいは深い哀愁をたたえて輝く、黒真珠のアクセサリーを見かけるかもしれません……

今でもときどき、月夜になると、僕は思い出す。月が明るく輝けば輝くほど、その光に誘われるようにして、あの夜のことを。

僕は思う。もう二度と会えない人や、とうとう一度も会うことのできなかった人のことを。そして、また会う約束をしている人のことを。

そうだ、いつかきっと、僕は黒真珠の指輪を受け取りに、あの女《ひと》に会いに行こう。そしてやっぱりこんなに月の輝く下で、それを僕の女の子の指にはめてあげながら、この物語を語って聞かせよう。

僕に教えてくれた人の話を。いちばん速く駆けるものが必ずしも勝つわけではなく、勝っているように見えるものが必ずしも勝者ではないということを。賭ける価値があるかどうか見定めるために、やっぱり賭けねばならないものがあることを。

いつかきっと、こんなふうに、胸が苦しくなるほど月が美しく輝く夜に——

これは、そのときのためのお話。

# 解説

濤岡寿子

後半から作品の展開について触れます。未読の方は注意してください。

もし五億円がポンと手に入ったら、あなたはどうしますか？　友人との他愛ないおしゃべりのなかでの話題ならば、いい車を買い替えて、家が欲しいわ、世界一周もいいわね、いっぱい買い物をして、寄付もして、余ったら貯金かなと無邪気に夢をふくらませることでしょう。宝くじを買い求める人も、切実に当たってほしいと思っている人もいるとは思いますが、当選確率からすれば、もし当たったらいいなあとひとときの夢を持つために買うのでしょう。そのくらい、大金を手にするということは夢物語で縁のない話なのだと思います。そして宝くじは一億円を手に入れるシステムとして機能しているので、暗黙の了解で誰が当選したかは詮索《せんさく》されないのですが（そう、毎年どこかで一億円を手にしている人がいるのです）、これがイレギュラーに誰かから寄贈されたりしたら大騒ぎになってしまいます。

そんな大騒ぎの顚末《てんまつ》を書いたのが本書『今夜は眠れない』です。主人公は中学一年生のサッカー少年の緒方雅男。東京の下町の中古マンションで両親との三人暮らしのごく普通の生活をしていました。母親の聡子が若い頃命を救った人物から五億円を遺贈されるまでは……。緒方家が五億円を贈られた一家としてマスコミ報道がされるやいなや、見知らぬ人からの電話手紙来訪攻撃で、家族は、とりわけ父母の関係がぎくしゃくし、大洋を渡る小舟が大波にさらわれて沈没しかねないという状態になってしまいます。雅男は家族が元通りになるように、そして五億円が生み出した謎を解くために、友人の島崎と調査に乗り出します。

ミステリといえば、事件と真相、犯人と被害者、そして真相を探す探偵が出てくるものです。本書の被害者といえば緒方一家なのですが、彼らに被害をもたらした犯人となると、ぼんやりしたものしか見えません。もちろんあることないことを書き立てしゃべるマスコミや、無言電話や脅迫電話をかけたり、彼らに無心をする人物などの個々の迷惑に対応する不愉快な人物はいるのですが、どうも事件の原因となる犯人とするには一人一人の存在が取るに足りないものです。また、匿名の存在だけに、犯人という特別な存在にするにはシャクに障るというもので。

それとそもそもの混乱の原因を作った五億円の贈り主である相場師の澤村。緒方家に混乱をもたらしながら、とうに死んでしまった彼に対して犯人と糾弾するのはためらわれます。そう、被害者の緒方家には憎むべき犯人の姿がはっきりとは見えず、まるで犯人らしき似顔絵を描いた暖簾《のれん》に腕押しをしている状態に置かれてしまったのです。このようにはっきりとした姿形を持たない犯人というのが、宮部みゆきの作品にはよく出てきます。目に見える巨悪ならば、それに向かって家族一丸になって立ち向かうこともできるでしょう。けれども正体の分からないものに対しては対処はできないのです。

「島影ひとつない大洋のど真ん中で、舳先《へさき》をつきあわせた三隻の難破船だったのだ。それぞれ姿は見え声も届くけど、助け合うことはできない。おまけに、無線機には、雑音ばっかり入ってくる」このように描写される緒方家を取り囲む海とは、いったいどのような姿をしているのでしょう。

コップに入った水は、命のための飲み物になりますが、これが水の集合体の海になると無色透明から青や緑の色がついたり、手の中のコップに収まっていたもの（あるいは「物」としての性格を持ったペットボトル水）が、人間を取り囲んで脅威にもなります。これはまるで人間や情報のあり方にも似ています。一人一人の顔が見えるうちは、ひとつひとつの言葉を追えるうちは、対応ができる相手なのですが、これが膨大になると海の水を掬《すく》っても手からすり抜けるように捉《とら》えることができなくなります。

目に見える相手ならば立ち向かうこともできると先に書きましたが、それは自分（及び自分に属する者）と他者との区別があって初めてできることです。ミステリの小道具として重要な役割を果たす電話ですが、一九九一年に執筆された本書には、まだ携帯電話が登場していません。もし現在のように携帯電話が普及している時代だったらストーリー展開も若干変わるだろうと思わせる場面があるのは当然としても、それ以上に携帯電話の登場以前と以後ではミステリで扱われる世界観が変わったことに気づかされます。携帯電話はほんの数分も他人と途切れたくない、始終他者とつながっている自分という存在を生み出しました。携帯電話でつながった人々は他者でありながら裏返せばもう一人の自分であり、電話を結び目にして巨大な網を構成し、電話を持つ個々の人物は配置替え可能入れ替えが可能であり、個々の顔というものがなくなります。十年後の二〇〇一年に発表された『R.P.G.』では他人同士が疑似家族を構成するという設定が登場し、本書では顔の見えない存在は集合としての他者を指していましたが、従来顔が見えていた自分と自分の身の回りにも見えない顔の存在が及んできています。この顔の見えない人々、姿の見えない人々の中で生きること、これは宮部みゆきの諸作品のテーマとしてデビュー時から根底にあります。

【注意】　ここから作品の展開について触れますので、未読の方は「＊」で括《くく》った部分を飛ばして読んでください。

＊

さて、宮部みゆきの作品にはどこからともなくやってくる人物がいます。それは超能力者、泥棒、タイムトラベラーというように、その舞台となる社会からはみ出た人物が、時間、空間を越えて介入してきます。本書では雅男が水族館で出会った黒服の美しい女性のマダム・アクアリウムがそのような存在です。難破家族の緒方家にしてみると、真珠を身につけた彼女は水先案内人のような役割をしています。そして澤村の「幽霊」。彼らはどこからか現れては消えてしまいます。暖簾に腕押しをするような他者に対しては、彼らのように存在感のレベルの違う登場人物でなくては太刀打ちができないのかもしれません。

本書の探偵は誰だろうと考えるとき、ふとマダム・アクアリウムの姿が思い浮かびます。しかしながら彼女は介入はしますが、時々音を響かせることで主題を引き立てる副主題のような存在です。あるいは彼女は緒方家の深層心理が実体化した姿ともいえます。緒方家の人々が望んでいた家族の姿へ導いたのですから。

顔の見えない犯人と探偵――。これは顔の見えない人々、姿の見えない人々をミステリにおいて書くときに生まれた形式ともいえましょう。

顔の見えない人々、姿の見えない人々について、今後宮部みゆきがどのように扱っていくのかは見守っていきたい事項です。

＊

ばらばらになった家族が絆《きずな》を取り戻し再生するという物語は、読者にとって安心して読める物語で、そのようにどこかでほっとできる語りをしてくれるのが宮部みゆき作品の長所です。本書でも雅男の中学生らしいちょっと大人ぶった語りや、子どもの頃の小さなエピソードに乗せられてほんわかした気分になってしまうのですが、その実、緒方家の姿がそんなに理想的な姿をしているわけでもないのです。この苦さは、一瞬、家族同士に生じた顔の見えない部分なのでしょう。

本書は、一九九八年十一月に中公文庫から出版されました。

# 今夜《こんや》は眠《ねむ》れない

宮部《みやべ》みゆき

角川文庫 12467

平成十四年五月二十五日　初版発行

発行者——角川歴彦

発行所——株式会社角川書店

東京都千代田区富士見二—十三—三

電話　編集部(〇三)三二三八—八五五五

営業部(〇三)三二三八—八五二一

〒一〇二—八一七七

振替〇〇一三〇—九—一九五二〇八

印刷所——暁印刷　製本所——コオトブックライン

装幀者——杉浦康平

本書の無断複写・複製・転載を禁じます。

落丁・乱丁本はご面倒でも小社営業部受注センター読者係にお送りください。送料は小社負担でお取り替えいたします。

定価はカバーに明記してあります。

©Miyuki MIYABE 1992, 1998　Printed in Japan

み 28-1　ISBN4-04-361101-3　C0193

# 角川文庫発刊に際して

角　川　源　義

第二次世界大戦の敗北は、軍事力の敗北であった以上に、私たちの若い文化力の敗退であった。私たちの文化が戦争に対して如何に無力であり、単なるあだ花に過ぎなかったかを、私たちは身を以て体験し痛感した。西洋近代文化の摂取にとって、明治以後八十年の歳月は決して短かすぎたとは言えない。にもかかわらず、近代文化の伝統を確立し、自由な批判と柔軟な良識に富む文化層として自らを形成することに私たちは失敗して来た。そしてこれは、各層への文化の普及滲透を任務とする出版人の責任でもあった。

一九四五年以来、私たちは再び振出しに戻り、第一歩から踏み出すことを余儀なくされた。これは大きな不幸ではあるが、反面、これまでの混沌・未熟・歪曲の中にあった我が国の文化に秩序と確たる基礎を齎らすためには絶好の機会でもある。角川書店は、このような祖国の文化的危機にあたり、微力をも顧みず再建の礎石たるべき抱負と決意とをもって出発したが、ここに創立以来の念願を果すべく角川文庫を発刊する。これまで刊行されたあらゆる全集叢書文庫類の長所と短所とを検討し、古今東西の不朽の典籍を、良心的編集のもとに、廉価に、そして書架にふさわしい美本として、多くのひとびとに提供しようとする。しかし私たちは徒らに百科全書的な知識のジレッタントを作ることを目的とせず、あくまで祖国の文化に秩序と再建への道を示し、この文庫を角川書店の栄ある事業として、今後永久に継続発展せしめ、学芸と教養との殿堂として大成せんことを期したい。多くの読書子の愛情ある忠言と支持とによって、この希望と抱負とを完遂せしめられんことを願う。

一九四九年五月三日

## 角川文庫ベストセラー

盲目のピアニスト　内田康夫

突然失明した天才ピアニストとして期待される輝美。ところが彼女の周りで次々と人が殺されていく。人の虚実を鮮やかに描く短編集。

追分殺人事件　内田康夫

ふたつの「追分」で発生した怪事件。信濃のコロンボこと竹村警部と警視庁の切れ者岡部警部が大いなる謎を追う！　本格推理小説。

三州吉良殺人事件　内田康夫

浅見光彦は、母雪江に三州への旅のお供を命じられた。ところが、その地で殺人の嫌疑をかけられてしまう。浅見母子が活躍する旅情ミステリー。

薔薇の殺人　内田康夫

「宝塚」出身の女優と人気俳優との秘めやかな愛の結晶だった女子高生が殺された。浅見光彦は悲劇の真相を追い、乙女の都「宝塚」へ向かうが。

日蓮伝説殺人事件(上)(下)　内田康夫

美人宝石デザイナー殺人事件に絡む日蓮聖人生誕の謎とは⁉　名探偵浅見光彦さえも驚愕に追い込む真相！　伝説シリーズ超大作‼

軽井沢の霧のなかで　内田康夫

何気ない日常のなかに潜む愛と狂気——。四人の女性が避暑地・軽井沢で体験する事件の真相は⁉　危険なロマネスク・ミステリー。

歌枕殺人事件　内田康夫

歌枕にまつわるふたつの難事件。唯一の手がかりは被害者が手帳に書き残した歌。古歌に封印された謎に名探偵浅見光彦が挑む！　旅情ミステリー。

# 角川文庫ベストセラー


血液型殺人事件　吉村達也

「私を殺そうとしている者がいる」独自の血液型別行動理論を展開する心理学者湯沢教授の発言に烏丸ひろみ＝フレッド＝財津警部のトリオは仰天！

丸の内殺人物語　吉村達也

サラリーマンなら誰でも体験しそうなピンチ。うまく脱出を図らねば、破滅という名の地獄が……。笑いのあとの背筋も凍る恐怖の短編五連発！

美しき薔薇《ばら》色の殺人　三色の悲劇①　吉村達也

『太宰治芸術賞』の第一回受賞作家のもとに届いた弔電。そして、右手を薔薇の棘で傷だらけにして息絶えた女。「三色の悲劇」シリーズ第一弾！

哀しき檸檬《れもん》色の密室　三色の悲劇②　吉村達也

上司のセクハラを訴えるために実名で記者会見をしたOL幸田美代子が殺された。鮮血で赤く染まった室内になぜか百個のレモンが落ちていた！

妖しき瑠璃《るり》色の魔術　三色の悲劇③　吉村達也

事件の捜査に烏丸ひろみ刑事が投入。だが、現れたのは前作『哀しき檸檬色の密室』の犯人が……！衝撃の真相は巻末の〝瑠璃色ページ〟に！

西銀座殺人物語　吉村達也

ピザとビザを間違えている社長、勤続二十年の記念休暇をきっかけに変身をはかろうとした男の失敗、等々……笑いと恐怖のミステリー短編集！

出雲信仰殺人事件　吉村達也

都心の高層ホテルの一室に死体がひとつ、毒蛇が八匹！　日本神話のヤマタノオロチ伝説を連想させる衝撃の毒殺事件がすべてのはじまりだった！